EDGAR
SACRÉ LASCAR

Vampires
et
vacarme

L'auteur : **Marcus Sedgwick** est auteur pour la jeunesse, illustrateur et musicien. Ses romans ont reçu des prix littéraires en Grande-Bretagne et aux États-Unis.

L'illustrateur : **Pete Williamson** travaille pour l'édition, la presse, l'animation et expose régulièrement ses œuvres. Son style, à la fois tendre et inquiétant, n'est pas sans rappeler les ambiances de Tim Burton. Il a illustré la série « P'tit Cousu », parue chez Bayard Éditions.

Pour Dan et Rich

Ouvrage publié originellement par Orion Children's Books (Londres, Grande-Bretagne) sous le titre *Vampires and Volts*
© 2010, Marcus Sedgwick
© 2010, Pete Williamson pour les illustrations

© 2015, Bayard Éditions pour la traduction française
18, rue Barbès, 92128 Montrouge
ISBN : 978-2-7470-3275-9
Dépôt légal : janvier 2015

Marcus Sedgwick

EDGAR
SACRÉ LASCAR

Vampires
et
vacarme

Traduit de l'anglais (Grande-Bretagne)
par Danièle Darneau

bayard jeunesse

Un

Au château d'Autrepart
vit une bande de farfelus,
d'hurluberlus et de mabouls
en tout genre.
Heureusement pour eux,
ils ont une arme secrète ;
son nom est Edgar.

De la cervelle
de citrouille!

Partout, de la cervelle de citrouille!

De la cervelle de citrouille orange, gluante, filandreuse, molle, visqueuse, puante.

J'étais perché sur l'extrémité d'un tournebroche où rôtissait un gros cochon. La pauvre bête avait l'air triste, mais vous ne feriez pas les malins non plus si vous vous balanciez au-dessus d'un lit de braise avec une pique fichée dans le derrière et une pomme dans la bouche.

C'était l'automne. Je sentais dans mon bec que l'hiver approchait. J'avais décidé de rester un moment près du cochon pour me réchauffer les pattes. Pourtant, je prenais un gros risque : à chaque tour de broche, je devais sauter pour éviter de tomber, et il fallait aussi esquiver la cuiller en bois que Tambouille agitait de temps à autre en hurlant :

– Saleté d'oiseau !

Mais en réalité, ce qui la contrariait, c'était surtout la cervelle de citrouille qui se répandait sur le sol de la cuisine à toute vitesse.

De mon côté, j'étais surtout occupé à bouder. Je boudais parce que... Au fait, est-ce que vous avez besoin d'une raison pour bouder ? Pas moi. Mais j'étais de mauvais poil... euh, non, de mauvaise plume, parce que j'étais revenu de la partie de chasse à la citrouille les pattes gelées.

Je me demande pourquoi j'étais surpris, puisque c'est la même chose tous les ans.

Voici comment ça se passe.

L'été est fini. Les jours raccourcissent, les feuilles jaunissent. Les fruits mûrissent et tombent, et quand ils sont à point, qu'ils sentent bien mauvais, j'en picore un peu, même si mes intestins se révoltent et... mais là n'est pas la question. Où en étais-je?

Ah oui!... Les jours raccourcissent et j'ai le bout du bec glacé. C'est alors qu'un beau matin, quelqu'un, généralement Solstice ou Hellébore, se lève brusquement pendant le petit déjeuner et s'écrie:

– C'est l'heure de la chasse à la citrouille!

Cette année, c'est Hellébore qui a sauté de sa chaise. Et, tout excité, il a hurlé: «C'est l'heure de la chasse à la citrouille!» si fort que Pote-le-singe a détalé comme s'il avait le diable aux trousses.

– Oh! a soufflé Hellébore.

Mais déjà Valvigne avait bondi sur ses pieds.

– Aha! s'est-il exclamé en pointant un long doigt maigre sur son fils. Cet enfant a raison! Voici arrivée la saison du plus noble des sports! La chasse ancestrale à ce monstre sauvage et rusé, ce démon orange connu sous le nom de « citrouille »!

Lord d'Autrepart, aussi excité que son fils, s'est légèrement emmêlé dans ses instructions:

– Affûtez vos filets! Réparez les trous de vos pièges! Creusez vos lances! Nous partons à la chasse à la citrouille!

Solstice et Hellébore ont accueilli ces ordres désordonnés par un « Hourrah! » sonore, puis ils ont foncé chercher leur matériel de chasse à la citrouille dans leurs chambres.

J'en ai profité pour sautiller sur la table, dans l'espoir de trouver quelques miettes de bacon à grappiller.

– La chasse à la citrouille! a répété Valvigne avec un sourire radieux, en se tournant vers Menthalo. Quelle aventure merveilleuse, vous ne trouvez pas?

– C'est bien, mon cher, a répondu Menthalo sans aucun enthousiasme.

Son air absent a inquiété son époux.

– Que se passe-t-il, ma douce? s'est-il enquis.

– Rien, mon cher.

– Voyons, mon cœur, mon petit chou, ma perle rare! Vous adorez la chasse à la citrouille! Courez mettre vos bottes! Je parie que vous allez dénicher la plus grosse citrouille de tous les temps!

Menthalo a soupiré:

– Oui. D'accord. Très bien.

Sur ce, elle a tourné les talons, laissant son mari seul avec votre ami à plumes.

– Lady d'Autrepart n'est pas dans son assiette, a marmonné Valvigne. Qu'est-ce que tu en penses, mon vieux?

– **Ark !** lui ai-je répondu avec mon expression la plus compatissante.

– Tu es un brave oiseau, m'a-t-il complimenté.

Puis, après s'être assuré que personne ne le regardait, il m'a lancé un reste de bacon qui traînait dans un plat.

La Grande Chasse Annuelle à la Citrouille pouvait commencer.

À dix heures du matin tapantes, les chasseurs étaient rassemblés dans l'Autre Cour, au nord-est du château. La chasse débute toujours là, ce qui est logique, car la cour est bordée d'une grande voûte qui ouvre directement sur les jardins. Derrière, il y a les vergers, et, encore plus loin, la végétation sauvage des montagnes.

– Tout cela, c'est de la bonne terre à citrouille, a déclaré Lord Valvigne au cours de sa harangue traditionnelle.

Les chasseurs s'étaient mis en cercle autour de lui.

Menthalo était très élégante, avec son tailleur-pantalon en tweed et ses grandes bottes de caoutchouc qui lui arrivaient sous le genou. (« Au cas où je tomberais sur une citrouille visqueuse », avait-elle expliqué à Hellébore.) Menthalo ne mettait de pantalon que pour chasser. Solstice était plus moderne : une tenue de combat noire (évidemment !) et un bonnet à pompon porte-bonheur.

Hellébore avait dû avoir du mal à choisir ses vêtements. On se demandait s'il s'apprêtait à monter à cheval ou à disputer une partie de hockey sur glace.

Lord Valvigne était enveloppé dans le manteau que portaient son père et, avant lui, son grand-père, en pareille occasion. Ce vêtement était si long qu'il lui recouvrait les chevilles. C'était pour les protéger. (« Au cas où je tomberais sur une citrouille visqueuse », avait-il expliqué à Solstice.)

Flinch était là aussi. Il transportait un petit chariot dans lequel les vaillants chasseurs

avaient déposé leurs armes. Chacun avait sa favorite, un peu comme les gladiateurs romains. Dans le véhicule, on apercevait des filets, des lances, des couteaux, une crosse de hockey et une batte de baseball (idées d'Hellébore), un ou deux arcs... enfin, ce genre de choses. Je reconnais que les d'Autrepart prennent la chasse à la citrouille très au sérieux, et qu'ils étaient prêts à livrer bataille. Même contre les citrouilles visqueuses.

Il faisait frais ce matin-là, et le soleil, qui avait pourtant pointé au-dessus du Pic Est, ne nous réchauffait pas du tout. J'ai mis mon bec sous mon aile pour le protéger du froid, et je me suis éclipsé.

Valvigne a conclu son discours en encourageant ses troupes comme si elles partaient combattre un dragon.

– Chacun de vous a le devoir de défendre l'honneur du clan d'Autrepart. Pensez aux luttes de vos pères! Donnez toujours le meilleur de vous-mêmes! Serrez-vous les coudes au cœur de la bataille! Et, enfin, n'oubliez jamais ce conseil vital: gare aux citrouilles visqueuses!

Deux

D'après les calculs
d'Edgar, il y a assez
de fissures dans le château
pour pouvoir faire la sieste
dans une fissure différente
chaque jour
pendant sept ans.

De la cervelle de citrouille!

Je ne vous ai toujours pas raconté, pour la cervelle de citrouille. Mais j'y arrive. C'est juste que, comme je suis un vieil oiseau, je perds facilement le fil de mon récit et je m'embrouille un peu, vous comprenez.

Je ne crois pas vous avoir confié ce que je trouve particulièrement absurde dans cette histoire de Grande Chasse Annuelle à la Citrouille.

Vous ne perdez rien pour attendre.

Donc, les d'Autrepart passent un beau jour d'octobre l'arme à la main, à fureter dans les buissons, à sauter les obstacles, à se faufiler sous les branches basses, à ramper dans les sous-bois, etc. Tout cela pour essayer de capturer un gros légume orange. Un gros légume orange que Brinderbe, le jardinier, cultive par ailleurs dans toutes les tailles et en quantité industrielle dans le carré à citrouilles, près du puits !

Alors, je vous pose la question : à quoi cela rime-t-il ?

Il m'est arrivé une ou deux fois de surprendre des mots chuchotés à voix basse tels que : « Les meilleures, ce sont les citrouilles sauvages. » Le plus étrange, c'est que, à ma connaissance, les d'Autrepart ne mangent que très rarement de la citrouille. Ils l'utilisent pour tout autre chose. Quelque chose de dégoûtant.

Donc, les d'Autrepart ont passé la matinée sur la colline, à la poursuite de ces insaisissables proies orange.

Au bout de deux heures, j'étais frigorifié. Et j'en avais plein les plumes. J'ai rejoint Menthalo qui faisait une pause, adossée à la porte d'un pavillon en ruine dans les bois du Nord.

Elle n'avait pas l'air plus joyeuse que quelques heures auparavant. Elle m'a accueilli en soupirant :

– Oh, Edgar ! Qu'est-ce qu'on va faire de moi ?

– **Caok?** me suis-je étonné.

– Hum. Je sais. Mais je suis perdue.
Je ne vais pas très bien, mon cher Edgar. Il me
manque quelque chose. Voilà, c'est ça. J'ai toujours été occupée. Dans ma jeunesse, je jetais des
sorts et je fabriquais des potions. Par la suite, j'ai
essayé de trouver d'autres centres d'intérêt, mais,

tu sais, je crois qu'il me faut quelque chose d'important. Un projet excitant. Dans lequel je pourrai m'investir corps et âme. Tu comprends?

– **Ark !** ai-je répondu.

Pourtant, je ne voyais pas du tout de quoi elle parlait.

Notre conversation s'est arrêtée là. Menthalo a sorti une petite bouteille de sa poche et a bu une gorgée, tandis que Solstice et Lord Valvigne faisaient leur apparition, suivis de Flinch.

– Zut de zut! a pesté Solstice en jetant son filet par terre. Rien! Zéro! Pas la moindre citrouille!

Son père a tenté de la calmer:

– Allons, allons! Tu sais bien que les citrouilles ont plus d'un tour dans leur sac! Qu'elles prennent un malin plaisir à se cacher, à se déplacer quand on ne les regarde pas et à ricaner dans notre dos! Mais crois-moi, ma chère fille : rira bien qui rira le dernier ! Je te parie que, ce soir, nous croulerons sous les citrouilles.

Solstice ne paraissait pas convaincue.

– Si vous le dites…, a-t-elle répondu. Mais il y a des heures qu'on crapahute, et on n'a même pas entraperçu une tache orange ! Hellébore n'arrête pas de pleurnicher et moi, j'ai froid et je suis fatiguée. Si je n'attrape pas une citrouille rapidement, je vais franchement déprimer.

Même si nous n'étions pas aussi abattus que Solstice, nous ressentions tous la même chose qu'elle.

– Où est Hellébore ? a demandé Menthalo, qui ne s'intéressait que très modérément au moral de sa fille.

Nous nous sommes alors aperçus que le garçon n'était pas avec nous… Non seulement il n'était pas avec nous, mais on ne le voyait nulle part !

Après la chasse à la citrouille, nous nous sommes donc mis à la chasse à l'enfant. Au bout d'une demi-heure, nous avons compris qu'il avait tout bonnement disparu.

Menthalo était d'avis de former une patrouille de recherche, tandis que son époux continuait à explorer les buissons en tapant dessus avec une raquette de tennis.

Solstice s'est tournée vers moi, les yeux remplis d'angoisse :

– Sursaut! Et s'il avait été capturé par une citrouille visqueuse?

Mais non. À cet instant précis, un petit cri nous est parvenu de loin.

– Au secours! Au-**au secours** !

Cela ne pouvait être qu'Hellébore.

J'ai aussitôt décollé.

– Bravo, mon brave oiseau! s'est exclamée Solstice. Retrouve-le, Edgar, retrouve-le!

Lentement, j'ai commencé à tourner en rond, en rasant les broussailles pour mieux entendre les cris de détresse. Bientôt, j'ai perçu un nouvel appel, et j'ai filé comme une fusée.

Si j'avais été Solstice, j'aurais prononcé un mot: «Sursaut». Mais, comme je ne suis qu'un vieux corbeau, je me suis contenté de dire la seule chose dont j'étais capable:

– **Croatbic** !

Hellébore était dans le labyrinthe!

Dans la partie nord-est des terres du château se trouve un gigantesque labyrinthe vieux de plusieurs siècles. Là se dressent d'immenses haies de buis qui s'étendent sur des kilomètres, rendant les recherches très difficiles. Et, pour couronner le tout, il faisait très sombre !

— Au secours ! s'égosillait le pauvre Hellébore. **Au secours !** Je suis complètement perdu !

Grâce à ma vision nocturne (car, vous le savez, les corbeaux voient très bien la nuit), j'ai détecté le gamin. Il errait dans le labyrinthe et, oh oui ! il avait l'air perdu. Il zigzaguait, se dirigeait d'un côté, puis de l'autre... Quand je me suis posé en croassant sur une haie au-dessus de sa tête, il s'est écrié avec un soulagement visible :

— Edgar ! Dieu merci, te voilà ! J'ai été poursuivi par des citrouilles ! Des citrouilles visqueuses !

Si j'avais eu des sourcils, j'en aurais levé au moins un. Peut-être même deux.

— Oui ! a-t-il insisté. Des citrouilles visqueuses ! Elles devaient être trois ou quatre ! Elles m'ont

couru après et m'ont pour-
chassé jusque dans le labyrinthe.
Maintenant, je suis perdu.
Et j'ai faim. Et je ne sais pas
comment sortir. Et je veux manger.

Il était possible que des citrouilles aient pour-
chassé ce garçon, mais, à mon avis, l'explication
était beaucoup plus simple.

Depuis toujours, Hellébore mourait d'envie
d'explorer le labyrinthe, mais son père le lui
avait interdit. Lord d'Autrepart avait été clair :
personne ne devait y pénétrer. En aucune
circonstance. **Jamais.** Car c'était
un endroit très dangereux.

Peut-être savez-vous que, pour sortir
d'un labyrinthe, il existe une méthode
qui a fait ses preuves : vous posez une main (peu
importe laquelle – moi, de toute façon, je suis
obligé de poser la pointe d'une aile) sur l'un des
murs, et vous avancez, la main toujours contre
le mur. Vous ne la laissez retomber à aucun prix,
même dans les croisements. À la fin, vous êtes libre !

Tout ça, ça fonctionne dans un labyrinthe normal, mais celui d'Autrepart ne l'est pas. Le truc de la main ne marche pas, parce que les haies ont la fâcheuse habitude de bouger pendant que vous regardez ailleurs. Donc vous vous perdez, et plus vous tournez et virez dans l'espoir de sortir, plus vous aggravez votre situation.

Et, comme pour vous rappeler que vous êtes en danger mortel, vous trouvez, dans les recoins, les ossements des visiteurs imprudents qui se sont risqués dans le labyrinthe... Des squelettes humains...

Hellébore avait les chocottes, ce qui n'est pas étonnant. Son satané singe mourait de trouille lui aussi: ça se voyait à ses bonds désordonnés, et à sa manière ridicule de se cramponner au cou de son maître.

Ici, je dois avouer en toute modestie que c'est encore moi qui ai sauvé ce garçon.

Tout en essayant de détecter d'éventuelles haies baladeuses, j'ai repéré le chemin de la sortie. J'ai frénétiquement battu des ailes au-dessus de la tête d'Hellébore jusqu'à ce qu'il comprenne qu'il devait me suivre. Une fois délivré, il s'est précipité dans le jardin, et dans les bras de sa mère.

En réalité, il ne s'était pas enfoncé très loin dans le labyrinthe. Mais j'étais le seul à le savoir, et j'ai gardé ça pour moi.

– Oh, Edgar! m'a félicité Solstice. Tu es un vrai héros!

« Rien ne t'échappe! » lui ai-je répondu en pensée.

La tête basse et les mains vides, les chasseurs ont regagné le château en traînant la patte. Accablés par cette matinée décevante, ils ne pipaient mot.

Arrivés dans les cuisines, nous avons eu une surprise: sur la table trônaient une demi-douzaine de citrouilles énormes, dodues et très, très orange!

« Ce bon vieux Brinderbe! » me suis-je dit.

– Hourrah! a crié Hellébore.

Très vite, les deux enfants se sont retrouvés plongés dans les citrouilles jusqu'aux coudes, à découper le haut, à taillader la chair (qu'on appelle la « cervelle » à l'occasion d'Halloween) et à l'envoyer dans toute la pièce. Évidemment, Pote s'est cru obligé de participer à la fête. Mais pas très longtemps, car, d'un seul coup, il a disparu.

« Dieu merci ! » ai-je pensé.

Solstice et Hellébore avaient maintenant de la bouil-

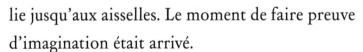

lie jusqu'aux aisselles. Le moment de faire preuve d'imagination était arrivé.

– Hourrah! a répété
Hellébore.

– Oui, hourrah! a ren-
chéri Solstice. Les choses sérieuses commencent.
Qu'est-ce qu'on va sculpter cette année?

Les d'Autrepart ont une manière bien à eux
de sculpter les citrouilles. Pas question de leur
donner une tête rigolote. Oh non!
Ils préfèrent les têtes étranges,

comme celle-ci:

et celle-ci:

oh, et celle-ci:

Mais cette année Hellébore a eu une nouvelle
idée. Personne ne pouvait imaginer qu'elle annonçait un grand, un terrible danger pour tout le
château... l'un des épisodes les plus terrifiants de
toute l'histoire d'Autrepart!

Voici ce qu'a dit Hellébore :

– Je sais ! Je sais ! Je vais faire une tête de vampire ! Un terrible vampire !

À cet instant précis, j'ai oublié de sauter de la broche qui continuait de tourner, et je me suis cassé la figure.

Mais je m'en suis sorti sans une égratignure.

Trois

Personne ne sait
exactement d'où vient
Pote-le-singe.
Mais quinze jours avant
qu'Hellébore le découvre
à Attrapemoi, l'animalerie
du coin, il y a eu un accident
près du château.
Une roulotte de cirque s'est
retournée en passant le col de
la montagne, et beaucoup
d'animaux se sont
échappés.

Croatbic !

Avez-vous parfois l'impression que quelqu'un vous regarde, et que les plumes de votre cou se hérissent? C'est une sensation horrible, bizarre, épouvantable.

Rien qu'en pensant à ce qui s'est passé, je tremble comme une feuille. Et pourtant j'en ai vécu, des évènements effrayants, à d'Autrepart! Mais celui-là, sur l'échelle de l'horreur totale, bat même l'affaire des chèvres zombies!

Et le pire de tout, le plus terrifiant, c'est que c'est arrivé le jour d'Halloween!

Rar-rark !

Comme vous pouvez l'imaginer, on aime beaucoup Halloween, au château. Et c'est une fête pour laquelle on se mobilise tous. Elle est plus importante que Noël, Pâques, la Saint-Valentin et la Chandeleur réunis.

La chasse à la citrouille marque le début de festivités qui durent pendant des jours. Elles commencent avant le 31 octobre et se terminent après. Traditionnellement, on joue à toutes sortes de jeux. Par exemple, le « Mouton trempé dans le lac » ou le « Majordome pendu aux remparts ». Des jeux très bon enfant, vous en conviendrez. Mais, à mesure que la date fatidique approche, les choses deviennent plus sérieuses.

Comme vous le savez, Halloween a lieu la veille de la Toussaint. Ce soir-là, tous les esprits, fantômes et créatures d'outre-tombe sont libres de faire ce qu'ils veulent, et de s'amuser à effrayer les vivants, qu'ils soient humains ou oiseaux. Mais aux premières lueurs du jour de la Toussaint (autrement dit, le jour de tous les saints) ils doivent retourner dans le lieu obscur et effrayant d'où ils sont sortis.

En général, à Halloween, je me cache dans un petit coin douillet; mais souvent j'en suis chassé par Solstice sous prétexte que je « loupe la fête ».

En fait, je ne manque pas grand-chose : Hellébore qui plonge la tête la première dans un tonneau rempli de fruits. Ou qui se balade dans la Longue Galerie en clamant qu'il est Napoléon. Je peux parfaitement m'en passer. Oh oui !

Donc, à Halloween, tous les spectres et tous les monstres font leur dernière sortie de l'année, ce qui peut être très perturbant pour un petit oiseau noir au cœur fragile. Le mien manque de s'arrêter chaque fois qu'un fantôme décide de me faire une mauvaise plaisanterie.

Les d'Autrepart, eux, adorent ça. D'habitude (je répète : d'habitude), surtout Menthalo. Comme elle a été sorcière autrefois, Halloween est sa période préférée de l'année. Elle ressort son ancien matériel, oublie ses devoirs de maîtresse de maison, la pâtisserie, le jardinage et tout le reste, et s'amuse comme une folle.

D'habitude.

Mais pas cette année.

Cette année, elle
semblait à plat comme
la plus plate, la plus
sèche des crêpes de
Tambouille. Et, pendant
qu'Hellébore perçait
des trous dans sa troi-
sième citrouille

avec une perceuse sans fil, et que Solstice fabri-
quait des piques pour y planter les œuvres de son
frère, Menthalo marchait de long en
large dans les cuisines.

– Soupir! a-t-elle soufflé, ce qui
était plutôt la façon de s'exprimer
de sa fille.

Puis elle a recommencé son va-
et-vient en ayant l'air de porter le
poids du monde sur ses épaules.

– Soupir!

Au bout du troisième soupir,
j'en ai eu assez. Je m'apprêtais à
monter faire une petite sieste dans la

Chambre Rouge, quand j'ai été arrêté dans mon élan par la voix de Solstice.

– Mère, comment voulez-vous que je me concentre sur mes piques si vous tournez en rond comme ça? s'est-elle énervée. Qu'est-ce qui se passe? Ça dure depuis des jours!

– Je sais, chérie, je suis désolée, s'est excusée Menthalo avec un nouveau soupir. Je ne sais pas ce que j'ai. Autrefois, j'adorais Halloween, mais... oh... je ne sais pas... J'aimerais simplement qu'il se passe quelque chose d'excitant. Quelque chose d'extraordinaire. Quelque chose de... différent. Tu vois ce que je veux dire?

– Non, Mère, a répondu Solstice, en secouant la tête et en regardant ses piques d'un air lugubre.

– Je veux dire... quelque chose de... merveilleux, a expliqué Lady d'Autrepart, avec un soupir encore plus bruyant que les précédents.

– Oh-ho! Quelque chose de ce genre, par exemple? a demandé Valvigne qui venait de surgir dans les cuisines sans crier gare.

Il agitait une lettre.

– Quelque chose d'extraordinaire, vous avez dit? Quelque chose d'excitant? Quelque chose de... hi! hi!... d'époustouflant?

Menthalo s'est immédiatement tournée vers lui.

– Oh oui! s'est-elle exclamée. Qu'est-ce que c'est?

Le maître des lieux s'est redressé de toute sa taille. La moustache frétillante, il a lancé la lettre à son épouse, qui s'est précipitée dessus.

– C'est très simple, ma petite citrouille! a-t-il expliqué. Vous savez que chaque année un Grand Bal d'Halloween est donné chez l'une des familles nobles de la région. Et, bien sûr, vous savez également que l'ordre dans lequel

ces familles ont le privilège d'organiser cette fête
a été établi il y a des siècles.

— Oui, a répondu Menthalo, avec un soupçon
de soupir dans la voix. Et la famille d'Autrepart
n'aura pas cet honneur avant trente-sept ans.
À moins que ce ne soit trente-six? Peu
importe. D'ici là, je serai trop vieille
pour jouer à «Une grenouille ou un
fruit». Soupir.

— Oh-ho! s'est récrié son époux. Et ah-ha!
Figurez-vous que si vous voulez bien lire cette
lettre, vous apprendrez qu'il s'est passé une chose
absolument extraordinaire,
absolument imprévisible,
absolument improbable.
Vous vous souvenez que le bal
devait se tenir cette année au
Manoir Morfal?

— Oui, a soufflé Lady
d'Autrepart, qui com-
mençait à s'impatienter.
Et alors? Chez les Toupet!

Ces imbéciles arrogants ne méritent pas d'accueillir le bal! Que connaissent-ils de l'esprit sombre et maléfique d'Halloween?

— Attendez, attendez... Eh bien, ils ne vont pas accueillir le bal, pour la simple raison qu'il s'est produit un incident tout à fait imprévu, un accident complètement accidentel dans lequel je n'ai aucune part de responsabilité : Morfal a été réduit en cendres.

— Bonté divine! a crié Menthalo.

— Sursaut! a soufflé Solstice.

— Ouoh! a vocalisé Hellébore.

— C'est ça! Et je dirais même plus, a renchéri Valvigne, comme le bal doit avoir lieu dans très peu de temps, la situation est extrêmement délicate. Mais il se trouve que, par une incroyable coïncidence, je me trouvais près des ruines fumantes du manoir au moment même où Lord Toupet a abordé ce problème. En bref, pour vous épargner le récit de négociations intenses, j'en viens au fait : j'ai proposé d'accueillir le Grand

Bal d'Halloween! Ici, au château d'Autrepart! Dans quatre jours!

– Sursaut! a soufflé Solstice.

– Ouoh! a vocalisé Hellébore.

Et Lady d'Autrepart a dit ce que seule une dame peut dire en pareille circonstance:

– Je n'ai rien à me mettre!

Puis elle s'est aussitôt ruée hors de la pièce en gloussant comme une poule pompette.

– Pas de quoi, pas de quoi, ma chère, a grommelé son époux. C'est tout naturel, inutile de me remercier.

Solstice paraissait perplexe.

J'ai sauté de ma poutre et j'ai atterri sur la citrouille la plus proche. Qu'est-ce qui pouvait bien troubler ma petite maîtresse?

Je n'ai pas tardé à l'apprendre.

– Père, s'est-elle enquise, vous n'êtes pour rien dans l'incendie du Manoir Morfal, n'est-ce pas?

Valvigne a poussé un grognement, puis il a rugi, l'air un peu vexé :

– Sûrement pas! Ce serait grotesque! J'ai ordonné à Flinch de le faire!

– Quoi? Vous avez ordonné à Flinch de mettre le feu au Manoir Morfal pour que nous accueillions le bal? Et vous avez pensé aux Toupet? Ils auraient pu périr brûlés!

– Oui, a répondu son père pensivement. Ils auraient pu, mais, malheureusement, ils étaient sortis acheter un trampoline, ces imbéciles. Bon, on ne peut pas tout réussir d'un coup, hein?

– Mais c'est terrible, Père! Vous n'avez pas le droit!

– Allons, allons, ma fille, a répliqué Lord Valvigne. Assez parlé de ça. On ne pouvait pas laisser ta mère déprimer comme ça, tout de même. Mais c'est notre petit secret, d'accord? Juste à nous trois, n'est-ce pas, Solstice? N'est-ce pas, Hellébore?

Et à Tambouille. Et à tout le personnel des cuisines. Et à Edgar. Ha! Mais Edgar ne le dira à personne, hein? C'est un gentil oiseau.

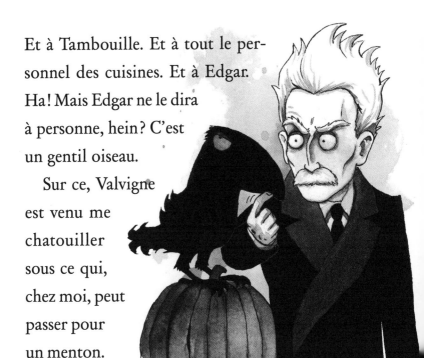

Sur ce, Valvigne est venu me chatouiller sous ce qui, chez moi, peut passer pour un menton.

Il était allé trop loin, cette fois! Même si les Toupet sont des crétins particulièrement désagréables.

Et les conséquences de ses actes ont été terribles. Si Valvigne n'avait pas fait brûler le Manoir Morfal, le bal n'aurait pas eu lieu au château d'Autrepart, et cela nous aurait épargné bien des ennuis. Oui, un tas de gros ennuis.

Quatre

Le labyrinthe
n'est pas le lieu
le plus dangereux
des terres d'Autrepart.
Il y a aussi un étang
à poissons d'ornement
et un puits à souhaits.
On dit qu'ils sont tous
les deux sans fond,
mais personne n'a jamais
cherché à s'en assurer.
C'est plus prudent.

— Ce n'est pas possible ! gémissait Menthalo. Tout le monde, je dis bien tout le monde était là, rassemblé dans le Grand Vestibule, pour une Réunion Familiale d'Urgence. Ce genre de réunion est assez fréquent au château d'Autrepart, mais l'urgence était vraiment urgente cette fois.

Imaginez la scène. C'était un soir d'orage. Les flammes vacillaient dans les candélabres, et le vent faisait trembler les vitres.

Lord Valvigne s'était perché sur une petite caisse, au centre de la pièce. Il pensait sans doute que cette position lui donnait plus d'importance. Je me suis posé sur sa tête en pensant qu'ainsi, il se sentirait encore plus important, mais en fait ça l'a mis dans une violente colère.

Je me suis donc envolé
pour aller observer la scène
du haut d'une poutre, loin
au-dessus de tout le monde.
J'ai songé à bouder, mais il

se passait des choses si intéressantes que j'en ai
oublié de faire la tête.

Tous les habitants du château faisaient cercle
autour du maître des lieux: Menthalo, Solstice
et Hellébore, Flinch et Brinderbe, Tambouille,
Grand-Mère Slivinkov, ainsi que des tas de
bonnes, serviteurs, sous-majordomes et garçons
d'écurie. Pousse et Mousse rampaient par terre en
se faufilant entre les pieds des gens. Il ne manquait
que Nounou Poilour, cette affreuse mégère! Elle
avait une inflammation du cerveau et on l'avait
envoyée dans une clinique en Suisse, d'où
j'espérais qu'elle ne reviendrait jamais.

Donc, en dehors de Poilour, la
maisonnée au complet débattait de
la possibilité d'être prêts à temps
pour le Grand Bal.

– Si nous devons accueillir cette nouba, a dit Valvigne, il faut nous y mettre tout de suite!

Mais son épouse restait ferme sur ses positions:

– C'est impossible. Le Grand Bal d'Halloween n'est pas un vulgaire pique-nique. Il faut faire les choses bien, ou pas du tout. Une soirée mal organisée serait un échec dont nous ne nous remettrions jamais.

– Mère, vous êtes incroyable! s'est insurgée Solstice. Tout à l'heure, vous soupiriez en réclamant quelque chose d'excitant et, maintenant que vous avez ce que vous vouliez, vous changez d'avis!

– Je ne change pas d'avis! a protesté énergiquement Lady d'Autrepart. Je pense simplement qu'il y a trop de choses à régler en quatre jours! Non, ce n'est pas possible.

– Pourquoi? est intervenu Hellébore, qui ne voyait pas le problème.

– Parce que, a répondu sa mère.

– Parce que quoi?

— Parce qu'il faut préparer la nourriture, les boissons, les jeux, la musique, la décoration... le thème ! Si nous donnons un bal, il nous faut un thème !

— Le thème, c'est Halloween, a répliqué Solstice en levant un sourcil, dans une mimique qui lui donnait un faux air de Lord Valvigne. Inutile de chercher plus loin. Des fantômes, des gobelins, des sorcières, des vampires... ce genre de trucs.

— Je ne suis pas d'accord, a rétorqué sa mère. C'est trop évident !

— Évident ! a explosé Valvigne. Évidemment, que c'est évident ! C'est un bal d'Halloween ! Solstice a raison. Il faut que tout le monde, absolument tout le monde, se mette au boulot, et tout de suite ! Et dans quatre jours nous serons prêts à ouvrir le bal d'Halloween le plus spectaculaire de tous les temps ! Il sera superbe. Il sera prodigieux. Il restera dans l'histoire comme la fête la plus magnifique jamais donnée dans la région et dans le monde. Sa renommée rejaillira sur la vallée entière !

Sur ces mots, le maître des lieux a levé les mains dans l'attente d'un tonnerre d'applaudissements, mais il n'y en a pas eu. En effet, le Grand Vestibule a soudainement été plongé dans le noir, ainsi que tout le château. Plus de lumière!

D'un seul coup, sans prévenir!

Pouf!

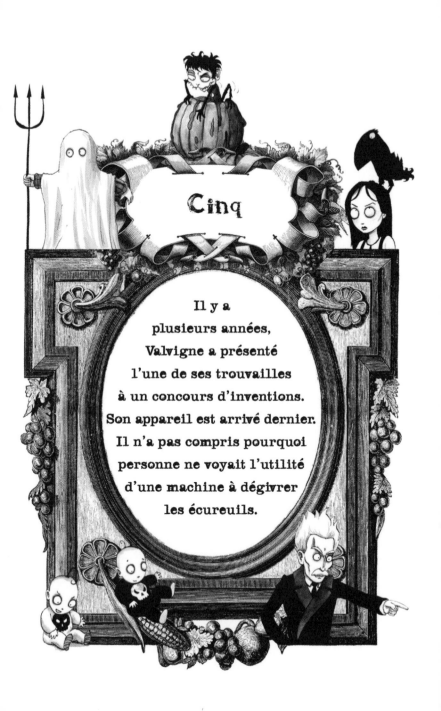

Cinq

Il y a
plusieurs années,
Valvigne a présenté
l'une de ses trouvailles
à un concours d'inventions.
Son appareil est arrivé dernier.
Il n'a pas compris pourquoi
personne ne voyait l'utilité
d'une machine à dégivrer
les écureuils.

Ark! ●●

Les lampes sont restées éteintes toute la soirée, ce qui a provoqué une belle pagaille et des tas d'ennuis. Des tas. Tout d'abord, le personnel s'est mis à courir, affolé, dans tous les sens. Mais, quand une bonne appelée Tamsine a eu un accident fatal en s'empalant dans une armure, Valvigne a interdit toute nouvelle crise de panique avant le retour de la lumière.

– Après, vous pourrez paniquer tant que vous voudrez! a-t-il déclaré. Mais, d'ici là, on ne galope plus au hasard dans le noir. C'est un ordre! Nous ne pouvons pas nous permettre de perdre une nouvelle paire de mains. Nous en avons besoin pour préparer le bal.

Ce que nous avons perdu, en revanche, c'est le reste de la soirée, car personne ne savait où étaient stockées les bougies.

Et, quand Solstice, en tâtonnant dans sa chambre, a réussi à dénicher dans un tiroir un bout d'une chandelle qu'elle avait utilisée pour ses sortilèges, personne n'a su où trouver des allumettes.

Menthalo n'arrêtait pas de maugréer contre les « amateurs » qui avaient installé l'éclairage dans le Vestibule, alors que tout le monde savait que c'étaient Valvigne et Flinch. Chaque fois, Lord d'Autrepart maugréait en retour contre le manque d'argent dans les caisses du château. Disons que l'atmosphère était un peu tendue.

Quand tout est rentré dans l'ordre, il était l'heure d'aller se coucher, et Lord d'Autrepart a envoyé tout le monde au lit.

– Je veux que vous soyez tous d'attaque à l'aube, parés pour l'opération Horreur au Château!

J'ai tenu compagnie à Solstice et Hellébore pendant qu'ils dégustaient les biscuits en forme de souris confectionnés par Tambouille avec du lait froid (« Pas question de boire du lait chaud dans le noir », avait décrété la cuisinière en chef).

Je le répète : les corbeaux ont une vue excellente, même dans l'obscurité. Aussi, pendant toute la soirée, alors que les humains se prenaient les pieds dans les tapis en peau de tigre et se cassaient la figure dans les escaliers, moi, je voletais de-ci de-là, en les consolant par de petits cris. Cela m'a également permis d'administrer à Pote plusieurs bons coups de bec sur la tête sans que personne s'en aperçoive, surtout pas cet imbécile de primate, qui se demandait d'où ça venait.

En ce qui me concernait, l'électricité pouvait rester coupée aussi longtemps qu'elle le voulait, cela ne me dérangeait pas. J'imaginais un avenir dans lequel je serais libre de harceler le chimpanzé à ma guise sans craindre de représailles.

Malheureusement, alors que les enfants prenaient leur collation du soir, la lumière est brusquement revenue.

– Ouoh! s'est exclamé Hellébore. Père a réparé la panne.

À ce moment-là, un cri lointain nous est parvenu du rez-de-chaussée. C'était Lord d'Autrepart qui s'étonnait:

– Qui diantre a rallumé les lumières?

– Apparemment, ce n'est pas Père, en a déduit Solstice. Comme c'est bizarre!

– Oui, c'est bizarre, a admis Hellébore. Bon, moi, maintenant, je vais me coucher.

– Je te reconnais bien là! a ricané sa sœur. Manger et dormir, c'est tout ce qui t'intéresse. Il ne se passe pas grand-chose dans ta vie.

Hellébore a pris cela pour une insulte.

– Si, il se passe des choses! Des tas de choses.

– Quoi, par exemple?

C'était peut-être la fatigue qui poussait Solstice à provoquer son frère. Celui-ci a bafouillé:

– Par exemple... par exemple... des choses intéressantes. Tu ne comprendrais pas.

– Oh, a persiflé Solstice, je ne comprendrais pas? Alors, comme ça, tu es explorateur dans l'Antarctique? Ou tu cours des marathons les yeux bandés, et en cachette? Tu as peut-être été le premier enfant à marcher sur la Lune, et je ne l'ai jamais su!

À court d'arguments, Hellébore s'est mis à pleurnicher:

– Mère! Solstice est méchante avec moi!

Mais Menthalo n'était pas dans les environs, et les deux enfants sont allés se coucher en continuant à se chamailler.

Certes, Solstice n'avait pas été gentille avec son frère, mais il faut reconnaître qu'elle n'était pas loin de la vérité. Hellébore n'a pas l'esprit beaucoup plus grand qu'un dé à coudre. Il prend la vie comme elle vient. Une des questions les plus philosophiques qu'il puisse se poser, c'est de savoir s'il va manger son pudding avant le plat principal ou au dessert. Il aime par-dessus tout manger, dormir, et son maudit primate. C'est un garçon inoffensif.

Voilà à peu près ce que nous pensions de lui depuis toujours.

Et que nous aurions continué à penser si, après le bal, il ne s'était pas produit des choses très bizarres.

Mais, avant d'aborder ce sujet, il faut que je vous parle du Grand Bal d'Halloween, et de ce qui s'est passé pendant cette nuit fatidique!

Six

Valvigne sait
bien qu'Hellébore,
bien qu'il soit un peu
simplet, deviendra un jour
Lord d'Autrepart, car le titre
est transmis par la lignée
mâle. Cela n'échappe pas
non plus à Solstice,
qui trouve que c'est
complètement
ridicule.

Le château d'Autrepart est un vieux château. Vraiment, vraiment vieux.

Si vous m'avez suivi pendant mes aventures, vous savez qu'il appartient à la famille d'Autrepart depuis trois cents ans, c'est-à-dire depuis l'époque où le troisième Lord d'Autrepart l'a volé aux Destrange, à la suite d'un long siège très désagréable.

Je m'en souviens bien!

«Quoi? vous exclamez-vous. Pour te souvenir du siège du château d'Autrepart (qui s'appelait Destrange, à ce moment-là), il faudrait que tu sois un très vieux corbeau, âgé de plusieurs centaines d'années! C'est impossible!»

Voici ce que je vous réponds:

Rark ! Il y a des choses que vous ignorez. Vous ne savez *peut-être* pas tout ce qu'il y a à savoir sur les corbeaux, par exemple que certains ont *peut-être* un petit côté magique.

Enfin... ça n'a pas d'importance. Excusez-moi de monter sur mes grands chevaux.

Revenons donc à notre château: il est vieux, et il a une histoire terrible, très violente. Tous les jours, il se passe ici des choses absolument dingues. Les portes s'ouvrent toutes seules, et les fenêtres se ferment toutes seules. **Croatbic !**

Il n'y a pas que les haies du labyrinthe qui bougent quand elles le décident: les murs du château aussi! Cette demeure est folle, elle est constituée de briques et de pierres complètement toquées.

Par conséquent, vous
pensez peut-être, comme
moi, que, telle qu'elle était,
cette vieille bâtisse convenait
déjà parfaitement pour le bal
d'Halloween et qu'il n'y avait rien à ajouter.
En revanche, le Manoir Morfal, avec ses papiers
peints fleuris et ses tapis moelleux, ses voilages
et ses canapés contemporains, aurait nécessité
de gros travaux de gothification (oui, ce mot
existe vraiment, mais ne cherchez pas dans le
dictionnaire).

Le château d'Autrepart était déjà un Monument
de l'Étrange, un Musée de l'Horreur, un Mémorial
des Ténèbres. Mais ses propriétaires ne le voyaient
pas ainsi.

Le lendemain de la Réunion Familiale d'Urgence,
ils ont entrepris des transformations pour rendre
leur demeure encore plus terrifiante.

Chacun s'activait à la tâche qui lui était dévo-
lue. Je n'ai pas perdu une miette du spectacle.

Solstice plaçait de fausses toiles d'araignée sur les vraies. Hellébore dessinait de fausses fissures sur les carreaux déjà cassés.

De grosses araignées velues prenaient leurs pattes à leur cou pour se mettre à l'abri au fur et à mesure de l'avancement des travaux.

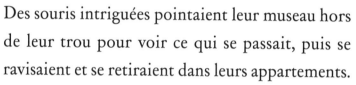

Des souris intriguées pointaient leur museau hors de leur trou pour voir ce qui se passait, puis se ravisaient et se retiraient dans leurs appartements.

Tout a été complètement « gothifié ». Jamais les rideaux de velours passés ni les tapis en peau d'ours usés n'avaient eu plus fière allure.

Menthalo errait dans le Grand Vestibule. Elle hochait la tête en souriant comme une reine, mais on voyait bien que quelque chose la turlupinait.

– Tout va bien, Mère ? s'est inquiétée Solstice du haut d'une échelle en agitant une bombe de toiles d'araignée.

– Hum, hum... Qu'y a-t-il, ma chère fille aînée ?

– J'ai demandé : « Tout va bien ? »

– Oui ! Oh oui ! a répondu sa mère. Sauf que... non. Enfin, peut-être. Tout cela est très mignon...

– Mais ?

– Mais il y a les jeux à organiser et la musique à choisir et les menus à établir et les surprises à imaginer et les bonbons à préparer, et le plus grave, c'est que je ne sais absolument pas comment je vais m'habiller !

Solstice est descendue de l'échelle tout en vaporisant des toiles d'araignée ici et là.

73

Avant de continuer à asperger allègrement le Vestibule, elle en a envoyé une petite giclée sur le derrière de Flinch, qui n'a rien remarqué.

J'ai retenu mon souffle et je me suis réjoui d'avance quand je l'ai vue regarder Pote, la bombe à la main. Malheureusement, elle a changé d'avis et s'est tournée vers Lady d'Autrepart :

— Le problème, Mère, c'est qu'on ne peut faire qu'une seule chose à la fois. Mais tout le monde s'y est mis. Hellébore et moi, on va s'occuper des jeux et des bonbons. Tambouille, des menus. Vous avez toute la journée pour décider de ce que vous allez porter.

— Peut-être, mais... et la musique ?

— Eh bien... Père s'en charge.

Menthalo a pâli.

— Tu es sûre que c'est une bonne idée ? a-t-elle objecté. Tu sais, ton père... Il n'y connaît rien en musique, il se prend les pieds l'un dans l'autre quand il danse et il est incapable de distinguer une note d'une autre.

Tout cela est vrai, mais, si Valvigne possède un talent, c'est celui d'arriver exactement au moment où les gens parlent de lui. Je n'ai donc pas été surpris de le voir débouler dans le Vestibule, accompagné de Flinch qui poussait une machine à brouillard.

– Hein? Quoi? s'est-il écrié. La musique? J'adore! Absolument! Tout est réglé.

Menthalo a pâli encore un peu plus.

– Co... comment? C'est-à-dire... Enfin... Vous...?

– Oui, a affirmé son mari. Tout est réglé.

Solstice a insisté:

– C'est réglé, mais comment, mon cher père?

– J'ai engagé un groupe de musiciens.

– Qui? s'est alarmée Menthalo.

– Un groupe de musiciens dirigé par mon propre frère.

– Ah oui! s'est réjouie Solstice, avec un soulagement visible. Oncle Silas!

— Oh, mon cher mari, que vous êtes astucieux!
a soupiré Menthalo, encore plus soulagée que
sa fille.

— Qui c'est, Oncle Silas? s'est enquis Hellébore.

— Tu es trop jeune pour t'en souvenir, a expliqué
Solstice. Il y a des années qu'il n'est pas venu ici.
J'étais toute petite quand je l'ai vu pour la dernière
fois. Il voyage beaucoup. Il ne reste jamais longtemps au même endroit.

— Pourquoi?

— Parce que c'est un musicien! a répondu Solstice
avec enthousiasme. Quand on fait ce métier, on est
tout le temps sur les routes.

— Ouoh!

— Et le mieux, a précisé Valvigne, c'est que son
groupe s'est spécialisé dans la musique lugubre à
faire peur.

— Ouoh! a répété Hellébore. Il s'appelle comment,
son groupe?

— Les Mortelles Coccinelles, a annoncé son père
d'un ton théâtral.

— Et tout est réglé? a voulu s'assurer Solstice.

— Oui! a confirmé Valvigne. Dès que je lui aurai mis la main dessus, que je lui aurai posé la question, qu'il aura dit oui et qu'il acceptera de venir le 31.

— Quoi? a explosé Menthalo. Et vous dites que c'est réglé? Comment pensez-vous vous y prendre? Comment le trouver, lui poser la question, l'amener ici... Il vous faudrait des ailes pour parcourir le pays et le dénicher! Vous savez voler?

Le maître des lieux l'a arrêtée d'un geste de la main.

– Moi, non, a-t-il répondu. Mais je connais quelqu'un qui en est capable.

Ayant prononcé ces paroles, Lord d'Autrepart s'est retourné vers moi. Ses yeux brillaient d'une manière qui ne m'a pas plu du tout.

Et c'est ainsi que j'ai passé les deux jours suivants à traquer Oncle Silas, un papier attaché à la patte gauche, et la mine très renfrognée.

Sept

Tout le monde s'est tellement amusé à la fête donnée pour le premier anniversaire de Pousse et Mousse que personne n'a remarqué qu'ils avaient disparu. On les a retrouvés endormis dans l'énorme gâteau. Ils en avaient mangé juste ce qu'il fallait pour pouvoir se cacher à l'intérieur.

es corbeaux, bien que très aimables, peuvent être des oiseaux solitaires. Je suis moi-même solitaire depuis que, il y a tant d'années, Mme Edgar s'est fait dévorer par des chiens après être tombée d'un arbre. Bien sûr, je vis en compagnie des humains, mais ce n'est pas tout à fait la même chose, n'est-ce pas ?

Malgré tout, c'était bizarre de partir loin du château, et tout seul. En fait, c'était une sorte de soulagement.

D'habitude, ça n'arrive que lors de ce qu'ils appellent « les vacances d'Edgar » : tous les dix ans,

je disparais pendant deux semaines entières. Ce ne sont pas vraiment des vacances, mais ils ne le savent pas, et ils n'ont pas à le savoir.

Donc, par un sombre matin de la fin du mois d'octobre, Solstice a attaché solennellement une lettre pour Silas autour de ma patte.

J'avais entendu Valvigne la dicter à Flinch alors que j'étais assis sur le bord de la fenêtre de son laboratoire, tout là-haut dans la Tour Est.

Elle n'était pas très longue.

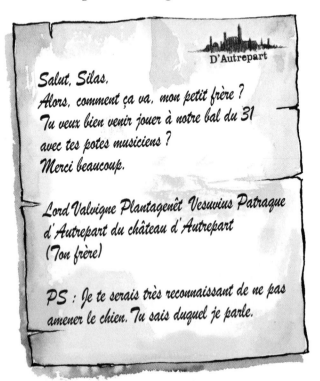

D'Autrepart

Salut, Silas,
Alors, comment ça va, mon petit frère ?
Tu veux bien venir jouer à notre bal du 31
avec tes potes musiciens ?
Merci beaucoup.

Lord Valvigne Plantagenêt Vesuvius Patraque
d'Autrepart du château d'Autrepart
(Ton frère)

PS : Je te serais très reconnaissant de ne pas
amener le chien. Tu sais duquel je parle.

À mon avis, Valvigne avait très peu de chances de parvenir à ses fins. Silas était un brave gars, mais on ne pouvait pas le sortir de son chapeau d'un coup de baguette magique.

Je me souvenais bien de Silas enfant. Il était beaucoup plus jeune que Valvigne et, quand il a grandi, il en a eu assez de la-vie-dorée-de-garçon-bien-né. Il est donc parti sur les routes et s'est mis à jouer de la mauvaise musique en échange d'une miche de pain ou d'un sac de noix. Il a aussi fait une ou deux choses dont je ne peux pas parler, et pour lesquelles il restera à jamais le vilain petit canard de la famille. C'est devenu une sorte d'aventurier, d'après ce qu'il racontait lors de ses rares visites au château. La dernière remontait aux cinq ans de Solstice, une époque où Hellébore ne faisait que chouiner et baver. Le pauvre garçon n'a pas beaucoup changé depuis.

Donc, Solstice a fixé le mot sur ma patte et m'a déposé un baiser sur le crâne en guise d'adieu. Ça m'a rendu un peu moins grincheux, mais juste un tout petit peu.

– Oh, le grand oiseau très coura-geux! a-t-elle susurré. Ça, c'est un corbeau intelligent qui va faire quelque chose de très important, hein?

Je ne sais pas pourquoi elle avait subitement décidé de me parler comme à un gamin de deux ans. En tout cas, ça ne m'a pas beaucoup plu.

J'ai sauté du balcon de la Haute Terrasse comme pour me suicider, histoire qu'elle comprenne que je n'étais pas content du tout.

«Je ne commencerai à battre des ailes qu'à la toute dernière seconde, juste avant de m'écraser sur les plates-bandes, ai-je pensé. Ça lui apprendra.»

Mais Solstice a aussitôt disparu. Sans doute pour vaporiser de nouvelles toiles d'araignée sur les murs ou pour choisir son maquillage du jour J.

Il ne me restait plus qu'à réfléchir au moyen de mettre la patte sur Silas.

– La dernière fois que j'ai entendu parler de lui, il jouait du violon dans un cirque, à Oslo, avait dit Valvigne.

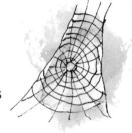

– Et c'était quand? avait interrogé Menthalo. Edgar a besoin de plus d'indices pour savoir où se diriger.

– Oh, il n'y a pas si longtemps, a répondu son époux. Trois ans. Peut-être quatre...

Vous comprendrez bien que j'ai immédiatement décidé de ne pas aller à Oslo. Aucune envie de me geler les ailes.

J'ai volé jusqu'à l'heure du déjeuner sans vraiment savoir où j'allais, simplement en suivant mon vieux bec. Mon bec a bien rempli sa mission, car, à midi, j'ai atterri à l'autre bout de la vallée, dans un pub très agréable, où j'ai eu le plaisir de siroter en douce deux ou trois gorgées de bière. Pas la moindre trace de Silas, mais après quelques becquées de bière je ne me faisais plus de souci pour ça.

À l'heure du thé, j'avais oublié toute l'affaire. J'aurais même oublié le château, y compris ses occupants, si un client du pub n'avait pas lancé à ses copains:

– Regardez! Cet oiseau n'arrête pas de siffler ma bière et il a un papier attaché à la patte! Je vais regarder ça.

À ces paroles, la mémoire m'est revenue! De peur de perdre la lettre de Valvigne, j'ai pris mes ailes à mon cou avec un croassement sonore.

Je me demande si je n'avais pas bu un tout petit peu trop, car au bout de deux heures j'étais de retour au pub. J'avais volé en rond. Et j'avais mal à la tête.

Pour le coup, j'étais vraiment, vraiment ronchon. Et dire que la poutre où j'avais l'habitude de me réfugier pour bouder était dans la cuisine du château, à des kilomètres de là!

Je me suis dit que c'était fichu, et que, par ma faute, le bal d'Halloween serait le plus raté de tous les temps.

« Mais... attends un peu!

Aha !

Caok-caok ! » ai-je pensé. Une idée a jailli dans ma tête, une idée si lumineuse que mon cerveau en a presque été aveuglé.

Voici quel était mon raisonnement :

« Jamais je ne retrouverai Silas tout seul. Impossible. Mais… si je cherchais de l'aide…? Et si je parlais de mon problème à quelques-uns de mes alliés, amis et connaissances? Je pourrais en toucher deux mots aux pinsons perchés sur le toit du pub, qui, à leur tour, contacteraient chacun un ou deux moineaux, et peut-être aussi un étourneau. Celui-ci ferait passer la consigne à un pigeon…»

Mon plan génial a merveilleusement fonctionné, et le plus beau, c'est que je me suis contenté d'attendre à côté d'une pinte de bière pendant que le réseau des oiseaux faisait le boulot.

Incroyable!

Quatre heures plus tard, j'avais ma réponse. Une corneille avait vu Silas à même pas trois heures de vol. Allez, hop! J'étais parti.

Pareil à une souris perchée sur une flèche d'arbalète, j'ai fendu les airs et youpi! j'ai trouvé Silas.

Il était en train de faire un petit somme dans une grange, derrière une ferme. Je lui ai donné quelques coups de bec sur le nez, et il s'est réveillé, un peu surpris.

– Nom d'un bidule! s'est-il exclamé. Edgar! C'est toi, n'est-ce pas?

En tout cas, c'était lui. Il était beaucoup plus jeune que Valvigne et il n'avait ni moustache ni même un poil de barbe, mais il n'y avait aucun doute possible : c'était bien le frère de Lord Valvigne.

Je lui ai remis la lettre, il l'a lue, mais je n'ai pas su pour autant s'il avait l'intention de venir, puisque tout ce qu'il a dit, c'est : « Nom d'un bidule ! »

Seulement, je n'avais pas le temps de m'attarder.

Le voyage de retour serait long, et je ne pouvais pas me permettre de laisser cette bande de cinglés livrés à eux-mêmes très longtemps.

Rappelez-vous la fois où, pendant mon absence, ils ont décidé de repeindre les murs de la salle de bal avec de la gelée.

Vous voyez ce que je veux dire ?

Huit

Au fond des greniers secrets du château, dans les recoins sombres oubliés de tous, s'amoncelle une couche de poussière si épaisse que les souris ont fixé des bâtons d'esquimaux à leurs pattes. Elles s'en servent pour skier, comme sur la neige.

Halloween!

Le fameux jour était arrivé. Solstice et Hellébore étaient surexcités, et leurs parents, presque autant qu'eux. Pousse et Mousse étaient trop jeunes pour comprendre ce qui se passait, mais ils avaient fière allure dans leurs nouvelles grenouillères ornées de têtes de mort, achetées pour la circonstance. Le motif était blanc sur fond noir pour Pousse, et noir sur fond blanc pour Mousse. Ou était-ce le contraire?

L'excitation avait gagné Grand-Mère Slivinkov. Levée très tôt, c'est-à-dire avant le déjeuner, elle errait de pièce en pièce en marmonnant: «Hi, hi! Hi, hi, hi!» Elle devait se remémorer de bons souvenirs, car elle ajoutait de temps en temps: «Tuez-les tous!» Au bout d'un moment, c'est devenu un peu énervant.

La journée s'est passée dans la fièvre des préparatifs de dernière minute. Dès le coucher du soleil, Solstice et Hellébore se sont précipités sur les remparts ouest qui surplombent l'entrée principale du château. C'est là qu'ils ont attendu l'arrivée des premiers quémandeurs de bonbons.

Ils avaient fourbi leurs armes, constituées presque exclusivement de citrouilles. Oui, vous l'avez deviné, de citrouilles visqueuses. Pour être efficaces, les citrouilles visqueuses doivent faire l'objet d'une préparation soigneuse.

Voici comment procéder : commencez par enlever le sommet de la citrouille. Ensuite, empruntez la perceuse électrique de Lord d'Autrepart et attachez-y le plus gros fouet à pâtisserie de Tambouille. Plongez l'instrument à l'intérieur de la citrouille et faites marcher la perceuse trente secondes à puissance 3. Puis placez la citrouille un peu trop près d'un four chaud, et laissez-la là pendant trois jours.

Ensuite, soyez vigilant ! Quand vous attraperez cette citrouille, elle sera remplie d'une bouillie visqueuse qui essaiera d'abord de rester collée par terre près du four, puis de se déverser sur vos chaussures.

J'ai supervisé l'opération en retenant mon souffle. Solstice et Hellébore ont préparé trente citrouilles visqueuses et les ont transportées jusqu'aux remparts. Je peux vous affirmer qu'ils s'en sont magistralement tirés. Les trente bombes, manipulées avec précaution, ont été acheminées sans accident et déposées en rang d'oignons dans les crénelures. Oui, ce mot existe. Vérifiez.

Menthalo a fait l'effort de monter jusqu'au sommet des remparts pour parler à ses enfants.

– Très jolies, vos citrouilles, mes chers petits, a-t-elle dit, mais je vous préviens : je vais me retirer dans mes appartements pour revêtir ma robe du soir. C'est un travail compliqué qui me prendra au moins trois heures. Entre-temps, nos premiers

hôtes arriveront pour le bal. Vous pouvez bombarder les gamins qui viennent demander des bonbons autant que vous voulez, mais je refuse qu'un seul invité soit barbouillé de citrouille!

– Oooooh! ont gémi Solstice et Hellébore d'une seule voix, réussissant à étirer cette seule syllabe pendant cinq secondes.

– Est-ce que c'est clair? a  insisté leur mère en agitant un index autoritaire.

– Oui, Mère, ont-ils chantonné comme des enfants sages.

Satisfaite, Menthalo s'est engouffrée dans l'escalier, pressée d'aller se changer.

Mais, dès qu'elle a eu le dos tourné, Solstice a déclaré:

– Évidemment, les citrouilles pourraient tomber toutes seules.

Hellébore a répondu avec un sourire entendu:

– Tu as raison. Quand elles sont bien visqueuses, elles deviennent glissantes, et alors... Oh là là ! Il arrive qu'elles s'écrasent malencontreusement sur la tête de quelqu'un !

– Exactement, mon cher frère. Dis, est-ce que tu as apporté les lunettes de vision nocturne ? Voyons si notre première victime approche...

Hellébore avait pensé à tout, ce qui a permis aux deux enfants de scruter les environs en quête de gamins quémandeurs de bonbons.

Abandonnant mon poste d'observation, je me suis élancé dans l'air frais du soir. Je me demandais où pouvait être Pote. Oh non, il ne me manquait pas ! Mais je venais de me rendre compte que je n'avais pas vu cet animal malfaisant depuis un bon bout de temps. J'ai prié le bon Dieu pour que cela continue, et j'ai foncé dans la nuit.

La fête d'Halloween serait parfaite, j'en étais convaincu. Le ciel nocturne était clair et une grosse lune ronde était accrochée au-dessus de la vallée. Au loin, les étoiles scintillaient et la traînée de la Voie lactée brillait de mille feux.

Mon vieux cœur a bondi de joie à la perspective des plaisirs et des jeux qui nous attendaient. Une seule chose me turlupinait, me tracassait et me titillait.

Est-ce que Silas et son groupe viendraient? Sinon, ce serait de ma faute, en quelque sorte, même si j'avais fait tout ce qu'on attendait de moi.

J'ai tourné en rond longuement, inspectant les allées dans l'espoir d'apercevoir Silas.

J'ai estimé qu'il restait environ une heure avant que son absence soit remarquée. En fait, le vrai responsable de cette invitation, c'était Valvigne, mais évidemment, en cas d'échec, tout retomberait sur moi!

Et tout à coup...

Caok !

Est-ce que je rêvais? Il me semblait entendre des sons au loin... Un tintement de cloche et la plainte d'un violon... Un coup de tambour et un grattement de guitare...

Non, je ne rêvais pas!

Ils étaient là!

Les Mortelles Coccinelles étaient venues!

J'ai plongé à travers les arbres pour les accueil-lir, et j'ai piqueté la tête de Silas, si fort qu'il a poussé un cri de joie.

En tout cas, je crois que c'était un cri de joie.

Neuf

Au sommet
de la plus haute
tour du château se
trouve un paratonnerre.
C'est une tige métallique
qui conduit les éclairs vers
le sol et non, comme Solstice
l'imaginait quand elle était
petite, un parapluie si
efficace qu'il protège
le château de
l'orage.

— Allez, lâche-moi maintenant, mon gentil oiseau! m'a dit Oncle Silas tout en se dirigeant vers la porte d'entrée.

— **Aok !** ai-je crié, m'élançant en tête du cortège pour aller annoncer l'arrivée des musiciens par un coup de bec sur la sonnette.

Silas portait une guitare en bandoulière et un sac à dos sur les épaules. Malgré sa tenue décontractée et ses cheveux longs, on voyait immédiatement que c'était un d'Autrepart. Son nez à lui seul constituait un précieux indice. À côté de lui se tenaient un homme grand et mince équipé d'un trombone presque aussi grand

SILAS

et mince que lui, et un petit gros muni d'un tuba petit et gros. Ils s'appelaient Tim et Tony. Visiblement, ils n'étaient pas frères. Pourtant, ils se comportaient comme des frères, se chamaillant tout le temps puis se réconciliant aussitôt.

Ils étaient accompagnés d'une très jolie jeune fille qui jouait du violon. Elle avait une longue queue-de-cheval blonde, une robe blanche courte, et s'appelait Samantha. Ensuite venait Jake le Chevelu, qui pliait sous le poids d'un nombre

SAMANTHA

incroyable de tam-
bours amoncelés sur
son dos. Enfin, il y
avait Le Bouclé, qui
semblait se battre
contre son accor-
déon, comme s'il
s'agissait d'un alli-
gator. Entièrement
chauve, très bien
habillé, Le Bouclé

JAKE LE CHEVELU

LE BOUCLÉ

avait l'air d'un gentleman, et pas du tout d'un artiste. Mais, avec son immense instrument, il produisait une très belle musique.

Personne ne venait ouvrir la porte. J'ai donc de nouveau appuyé sur la sonnette. J'ai alors entendu les voix de Lord d'Autrepart et de Flinch.

– C'est ce fil! Celui-là! Non! Oui!

(Ça, c'était Valvigne.)

– Vous êtes sûr, Votre Seigneurie? Ce n'est pas celui-là qui a tout fait sauter ce matin?

(C'était Flinch.)

– Ne discutez pas, mon vieux! Il faut que cet appareil soit prêt avant l'arrivée des invités. Allons, dépêchons! Dépêchons!

(Encore Valvigne.)

On n'a plus rien entendu pendant quelques instants, mais j'imaginais le majordome en train de maugréer pendant qu'il rebran-chait le fil comme l'avait demandé son maître.

Je commençais à m'impa-tienter. Pour la troisième fois,

j'ai appuyé sur la sonnette avec mon bec, et alors…
Boum! Il y a eu une explosion à l'intérieur.

Une seconde plus tard, la porte s'est ouverte brutalement. Valvigne et Flinch ont surgi, toussant, clignant les yeux, les cheveux dressés sur la tête pour celui qui en avait et le visage barbouillé de noir.

Ils sont restés immobiles quelques instants, l'air hébété. Mais Valvigne a très vite repris ses esprits.

– Bon sang de bonsoir, mon vieux! a-t-il pesté. Je vous avais dit que c'était l'autre fil!

Au même moment, sans autre avertissement qu'un léger sifflement aigu suivi d'un *Plouf!*, une grosse citrouille s'est écrasée sur les pavés, en nous ratant de peu. Mais nous nous sommes retrouvés couverts d'éclaboussures visqueuses de couleur orange.

– Nom d'une pipe en bois...! a aboyé Lord d'Autrepart en levant la tête.

– Pardon! a crié une voix venue de loin, celle d'Hellébore. J'ai sursauté en entendant le gros «Boum!», et j'ai fait tomber la citrouille.

– Attendez un peu que j'attrape ce gamin..., a grondé son père en débarrassant sa chaussure de la cervelle de citrouille qui la décorait.

Il s'est arrêté net en m'apercevant, flanqué des musiciens, sur le seuil de sa porte.

– Silas! a-t-il rugi.

Incroyable! Ce vieux fou s'est presque montré affectueux! La preuve: il a donné de grandes claques dans le dos de son petit frère, assez puissantes pour lui disloquer une omoplate ou deux.

– Salut, Valvigne! a répondu Silas, tout sourire. Voici mon groupe, les Mortelles Coccinelles. À ton service.

Avec une profonde courbette, il a présenté les musiciens: Tim et Tony, Jake le Chevelu, Le Bouclé et enfin Samantha, qui a pincé quelques cordes de son violon en guise de bonjour.

Valvigne a dévisagé cette dernière pendant plusieurs secondes, il a grimacé une sorte de sourire, puis il a continué à se comporter bizarrement.

– Ha! a-t-il soufflé. Ha-ha. Bienvenue, et...
Ha! Vous êtes tous les bienvenus. Très bienvenus,
a-t-il ajouté avec un nouveau regard égaré à la
jeune fille.

J'ai mis un moment à comprendre ce qui se
passait, parce que je n'avais jamais vu une chose
pareille. Apparemment, Valvigne était tombé
amoureux de la violoniste blonde.

Il s'est alors lancé dans un long discours sans
queue ni tête à propos des vers du bois. Complètement perdus, nous avons essayé de comprendre
son flot de paroles. Ce n'est qu'au moment où il
a trouvé le courage de pincer une corde du violon
que tout s'est éclairé: il demandait à Samantha
si son instrument se portait bien.

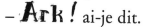 – **Ark !** ai-je dit.

– Super, m'a chuchoté son frère à
l'oreille. Les vers du bois. Excellente tac-
tique pour séduire une fille.

Flinch est venu au secours de son maître.

– Puis-je me permettre de vous suggérer d'entrer,
Votre Seigneurie, avant que les invités arrivent?

— Ah-ha ! Oui. Bonne idée, a bafouillé Valvigne, en accompagnant Samantha à l'intérieur du château sans s'occuper des autres.

Puis il a repris, d'une voix qui était décidément bizarre :

— Oui... L'électricité, c'est mon domaine. Je suis une sorte de génie, vous savez. J'étais justement en train d'installer un petit machin amusant pour la porte d'entrée. Pour ce soir, vous comprenez. J'avais juste besoin de le bricoler un peu. De jouer avec les fils. Ha ! Ha ! Jouer ! Elle est bonne ! Comme vous... vous... jouez... avec votre violon !

Tout en parlant, il tripotait d'un air absent l'un des fils de sa machine, une imposante caisse noire remplie d'un matériel suspect.

L'air nerveux, Samantha se retournait sans arrêt vers Silas.

— Oui, a poursuivi Lord d'Autrepart, il suffit d'un petit branchement ici, et d'un autre là, et...

Sans réfléchir, il a rebranché les deux fils qu'il avait forcé Flinch à connecter, et qui avaient fait tout sauter.

Vite, j'ai plongé en piqué.

Il y a eu un nouveau *Boum!* assourdissant, et cette fois nous avons pu voir l'aveuglant éclair de lumière qui l'a accompagné.

Samantha a hurlé.

Valvigne a poussé un juron.

J'ai compté les plumes de ma queue, parce qu'à mon âge, j'ai intérêt à les économiser.

Ensuite, il y a eu un petit sifflement et, aussitôt après, un gros objet orange est tombé du ciel droit sur nous. Il a atterri pile sur la tête chauve du Bouclé. Le pauvre gentleman s'est écroulé sur les pavés, entièrement recouvert de pâte visqueuse. Une matière gluante et orange.

– Pardon! a prononcé une voix timide venue d'en haut.

– Nom d'un bidule! s'est exclamé Silas. Vous avez tué mon accordéoniste!

Dix

De nombreux
chasseurs de trésors
ont essayé de se faufiler
à l'intérieur du château,
à la recherche du légendaire
trésor perdu.
Sans aucun résultat.
Au mieux, ils sont repartis
avec un bras cassé.
Au pire, ils ne sont
jamais repartis...

En fait, Le Bouclé n'était que blessé, et il sentait un peu mauvais.

Flinch lui a poliment suggéré de prendre un bain, mais l'accordéoniste a héroïquement résisté, car il n'y avait pas de temps à perdre. Les premiers invités seraient bientôt là!

Les Mortelles Coccinelles se sont installées dans un coin du Grand Vestibule et ont commencé par accorder leurs instruments. Au bout d'un certain temps, nous nous sommes aperçus qu'en réalité, ils jouaient déjà. Ce n'était pas une musique qui vous donnait envie d'esquisser un pas de danse. Elle était plutôt sinistre, ce qui était tout à fait indiqué pour Halloween!

Rarement il y avait eu autant d'animation au château, autant d'excitation, autant d'ambiance! Pour mieux humer l'atmosphère, j'ai entrepris un petit tour du propriétaire.

Valvigne faisait semblant de réparer sa machine explosive, mais, planté près de la porte du Grand Vestibule avec un tourne-vis fiché dans un interrupteur, il couvait plutôt Samantha des yeux.

J'ai parcouru quelques corridors et je suis monté jusqu'au boudoir de Lady d'Autrepart. À ma grande surprise, elle ne s'y trouvait pas. Avait-elle par miracle réussi à être prête dans les temps ? Cela semblait impossible, mais il s'était déjà passé des choses plus extraordinaires au château.

Délaissant les sombres couloirs, j'ai volé jusqu'aux remparts pour voir les quémandeurs de bonbons se faire bombarder de citrouilles.

Tout se passait à merveille.

Quelques imprudents venaient de se présenter à la porte d'entrée en criant :

– Des bonbons ou une farce !

Ils m'ont presque fait pitié. Aussitôt, Solstice et Hellébore ont balancé l'une de leurs munitions par-dessus le mur, et c'est ensuite seulement qu'ils ont donné leur réponse :

– Une farce !

Il y a eu un énorme *Plouf!* quand la citrouille a atteint sa cible. Les nouveaux venus se sont retrouvés couverts de bouillie orange des pieds à la tête.

– Eeeeeh ! a-t-on entendu hurler. Eeeeeh !

Comment des enfants pouvaient-ils continuer de se présenter au château d'Autrepart, alors que c'était le même accueil tous les ans ?

L'opération avait réussi, mais une question turlupinait Hellébore.

– Est-ce qu'on ne fait pas les choses à l'envers ? demanda-t-il à sa sœur.

– Qu'est-ce que tu veux dire, mon cher frère ?

Solstice était radieuse. Rien ne semblait lui faire plus plaisir que de balancer des légumes pourris du haut des murs du château.

Hellébore a précisé sa pensée :

– Normalement, ils doivent crier : « Des bonbons ou une farce ! » Et ensuite, si on ne leur donne pas de bonbons, c'est eux qui sont censés nous faire une farce, non ? C'est bien ça, le jeu ?

Sa sœur a réfléchi deux secondes, puis a répondu en souriant avec malice :

– Hum... Oui, je pense que tu as raison. C'est très possible. Mais notre jeu à nous est beaucoup plus drôle, tu ne trouves pas ?

À ce moment-là, j'ai entendu de nouvelles voix réclamant des bonbons, puis un nouveau

bombardement de citrouilles. J'ai alors décidé de poursuivre mon périple à travers le château.

J'ai eu du mal à reconnaître la vieille demeure. Quel spectacle !

Dans chaque pièce planait une atmosphère extra-super-lugubre. Les vieilles pierres avaient sans doute donné un coup de main – rien d'étonnant, il arrive souvent que le château se mêle des affaires de la famille –, car jamais les vingt-huit serviteurs employés à d'Autrepart n'auraient pu accomplir seuls cette tâche surhumaine.

Les chandeliers étaient garnis de toiles d'araignée énormes et partout on voyait grimacer des citrouilles aux formes plus bizarroïdes les unes que les

autres, plantées sur des piques. Chaque membre du personnel portait une tenue spéciale. Flinch lui-même avait le cou transpercé d'une paire de faux boulons, comme le monstre de Frankenstein. Il faut dire qu'avec son air naturellement sinistre, il n'avait pas besoin de grand-chose pour paraître déguisé.

Les bonnes, les filles de cuisine, les cireurs de bottes, les palefreniers, les laquais, les sous-major-domes, les marmitons et j'en passe... tous étaient joyeusement macabres. Partout, on voyait grouiller des vampires, des fantômes, des sorcières, des diables, des gobelins, des lutins maléfiques, des démons et des mauvais anges. Il y avait aussi deux bonnes sœurs assassinées, ce qui, à mon avis, apportait une jolie touche à l'ensemble.

Valvigne et moi-même avions adopté la même tenue par souci pratique. Elle consistait en une paire de cornes de diable noires qui ornait nos deux crânes, taille L pour Lord d'Autrepart, taille XS pour moi. Je vous assure que j'avais l'air d'un corbeau très méchant.

Menthalo n'avait pas encore fait son entrée. Sans doute se terrait-elle dans un coin du château avec Tambouille, qui lui faisait des frisettes avec un moule à gaufres. Ou autre chose du même genre.

Solstice était... Ah!... Elle était divine! Elle avait dû économiser son argent de poche pendant toute l'année pour s'offrir une superbe robe longue de velours noir. Elle faisait un magnifique vampire. Évidemment, autour du cou, elle portait un ruban du même tissu, qui dissimulait les cicatrices des morsures de vampire qu'elle avait subies lors de son tout premier bal d'Halloween. La guerrière armée de citrouilles explosives s'était transformée en une jeune gothique très élégante.

Hellébore, qui dépensait généralement son argent de poche de la semaine quelques secondes après l'avoir reçu, avait opté pour une tenue moins chère: le traditionnel déguisement de fantôme, c'est-à-dire un drap blanc percé de deux trous. Il a passé cinq bonnes minutes à expliquer à sa sœur que l'on trouvait des fantômes représentés sur des fresques

datant du XIIe siècle dans certaines églises ita-
liennes. Solstice ne paraissait pas convaincue.

C'est alors qu'a retenti un coup de tonnerre : Flinch frappait sur un gong avec une masse.

Ce bruit impressionnant ne pouvait signifier qu'une chose : les premiers invités étaient arrivés !

Onze

Quand elle
sera grande, Solstice
veut être poète. Ou écrivain.
Elle dit qu'elle adorerait
être payée pour inventer
des histoires.
Valvigne lui a donc
suggéré d'ajouter
le métier d'avocat
à sa liste.

Par une ironie du sort, les premiers convives arrivés ont été les Toupet de Morfal – ce qui, pour une raison inconnue, a beaucoup embarrassé Valvigne. Enfin... les Toupet de feu Morfal, puisque le manoir n'était plus qu'un amas de cendres à l'autre bout de la vallée.

M. Toupet, un individu répugnant, se tenait sur le seuil, examinant les lieux et dévisageant chacun d'un œil mauvais.

– ... 'soir, Autrepart, a-t-il lancé à Valvigne en pénétrant à grands pas dans le Vestibule.

Puis il a ajouté d'un ton sarcastique:

– Pas mal. Bravo.

Lord d'Autrepart était troublé. Une telle attitude était difficile à supporter.

– ... 'soir, Toupet, a-t-il balbutié. Et bonsoir, madame Toupet. Quel plaisir! Et... Oh! les petits Toupet!

Le couple avait donné le jour à des triplés. Il était difficile d'imaginer trio plus désagréable.

L'un des enfants était déjà en train de taper à grands coups de fourche de diable sur le piano placé dans l'angle du Vestibule.

– Écoute, maman, a-t-il braillé, je suis le nouveau pianiste du groupe!

– Oh, c'est bien, mon chéri, a susurré Mme Toupet.

L'espace d'un instant, Valvigne et M. Toupet se sont mesurés du regard en silence. Puis Lord d'Autrepart a remporté la palme d'or de l'idiotie.

– Al... alors, a-t-il bafouillé, comment ça va au Manoir Morfal?

Je me suis envolé sans attendre l'inévitable explosion de rage de M. Toupet, mais j'ai pris le temps de donner un violent coup de bec sur le crâne de celui des triplés qui torturait le piano.

– Aïe ! a-t-il piaillé. Maman ! L'oiseau m'a mordu !

– Oh, c'est bien, mon chéri, a susurré Mme Toupet.

Par bonheur, d'autres invités arrivaient.

Beaucoup d'entre eux étaient des membres de la famille.

Il y avait tout un tas de Putois. Les Putois, c'était du côté de Valvigne. Sa mère était une Putois avant d'épouser le précédent Lord d'Autrepart. Leurs descendants débarquaient petit à petit, certains recouverts de cervelle de citrouille. Je me suis dit que Solstice et Hellébore auraient peut-être des ennuis quand Menthalo verrait ça.

Mais où donc se cachait Lady d'Autrepart ? Toujours aucune trace d'elle !

Ce n'était pas le moment d'y réfléchir,

car des parents éloignés de Menthalo, les Grissouris, avaient emboîté le pas aux Putois.

Grand-Mère Slivinkov, la mère de Menthalo, était une Grissouris avant d'épouser le comte Slivinkov au cours d'une mystérieuse cérémonie qui s'était déroulée sur une plage de la mer Noire, de nombreuses années auparavant. Depuis, elle n'avait plus jamais été la même.

Une horde grouillante de Grissouris s'est égaillée dans le Vestibule, pareille à une invasion de bactéries. C'était à la fois inquiétant et rigolo.

Silvine, la sœur célibataire de Menthalo, était là, avec Lavande, la sœur numéro 3, accompagnée de son mari Philip, et des deux enfants les plus normaux de notre galaxie, Jenny et Jasper. Ces gamins tristounets portaient des blazers gris assortis, des cravates bleues et des chaussures cirées. J'ai cherché en vain ce qui pouvait évoquer Halloween dans leur tenue. Les quatre membres de la famille étaient plus gris que des souris en proie au mal de mer.

Valvigne est passé, les doigts crispés sur des verres remplis d'une boisson rouge sang qu'il apportait à des amis.

– Ah! Bonsoir, Philip! Vous êtes tout à fait dans le ton de la soirée, à ce que je vois! a-t-il lancé.

Le Vestibule s'est brusquement rempli de revenants, de gobelins, de goules, et que sais-je encore. Je dis: «que sais-je», mais en réalité je ferais mieux de dire qu'il était rempli de vampires. De tas de vampires. On aurait dit que les boutiques de déguisements ne vendaient que des déguisements de vampires.

Sur le moment, je ne me suis pas posé de questions.

Après un formidable coup de masse, le gong a de nouveau retenti. Tous les regards se sont tournés vers la porte d'entrée.

Il n'y avait personne. Furibond, Valvigne a aboyé :

– Qu'est-ce qui vous prend, Flinch ? Hein ? Espèce d'imbécile ! Il n'y a personne !

– Sauf si c'est l'homme invisible, a ricané l'un des triplés Toupet.

Solstice a levé les yeux au ciel, mais le majordome, imperturbable, a redonné un bon coup de gong. Puis il a agité un bras raide dans la direction opposée à la porte, vers les escaliers : Menthalo se tenait sur les marches, prête à faire sa grande entrée.

Entrée réussie !

Elle portait une tenue horrible. Sa robe semblait avoir été déchirée par un ouragan, puis recousue en hâte par un bataillon de chimpanzés myopes auxquels il aurait manqué la moitié des doigts.

L'assemblée a poussé un « Oh ! » de stupéfaction.

Mais ça, c'était parce que Menthalo, en s'avançant, s'était pris les pieds dans l'ourlet de sa robe et avait dégringolé l'escalier dans un tourbillon de jupes et de jupons. Comme je vous plains, vous, les humains, de ne pas avoir d'ailes !

Elle a atterri sur la dernière marche, complètement étourdie. Elle est restée assise là quelques instants. Puis elle a poussé un gémissement. C'était la première fois que j'entendais quelqu'un gémir aussi fort.

– Heureusement qu'elle avait des épaulettes, a murmuré Solstice.

Je crois qu'elle avait raison. C'est grâce à la quantité de tissu qui l'enveloppait que Menthalo a échappé à la mort.

La pauvre Lady s'est relevée et a quitté le Vestibule en boitant.

Les instruments de musique sont restés muets.

La pièce entière est restée muette.

Le bal avait très mal commencé.

Douze

La grande
ambition d'Hellébore
quand il sera adulte,
c'est de découvrir
comment manger et dormir
le plus possible,
si possible en même
temps.

La situation avait fini par s'arranger.

Solstice et Hellébore avaient mis une demi-heure à persuader Menthalo que personne, absolument personne, ne l'avait vue tomber dans les escaliers et que, si elle revenait, tout le monde serait enchanté.

Valvigne avait demandé au groupe de recommencer à jouer, et les vampires et les monstres se traînaient à présent au rythme des mornes mélodies des Mortelles Coccinelles.

Et les jeux battaient leur plein.

Dans un coin du Vestibule, on riait et on criait fort. Les yeux bandés, les gens faisaient cercle autour d'un grand tonneau, dans lequel ils plongeaient les mains pour attraper soit une grenouille, soit un fruit. J'ai beaucoup réfléchi à ce jeu, et, au fil des années,

j'ai compris quelque chose: ce qui excite les gens, dans ce jeu appelé «Une grenouille ou un fruit», ce n'est pas la partie «pêche», mais la partie «dégustation». Car la règle, c'est que l'on doit manger ce que l'on a attrapé. Un fruit ou... une grenouille.

Flinch circulait sans bruit dans le Vestibule en tentant de rester invisible, car Valvigne avait décidé de jouer au «Majordome pendu aux remparts». À sa grande satisfaction, un sous-majordome nommé Rich a eu la gentillesse de se prêter au jeu. Quelques cris nous sont parvenus du haut des remparts, puis ils ont brusquement cessé, ce qui signifiait sans doute que les choses avaient assez mal tourné pour Rich.

Menthalo allait encore devoir téléphoner à l'agence de placement le lendemain. Ce que je ne savais pas, c'était que ce ne serait pas le dernier coup de fil de la semaine.

Il commençait à être tard. Il faisait nuit noire, et je dois dire que ce qui avait débuté plutôt mollement s'est transformé en une soirée inoubliable. On dansait, on chantait, on riait, on faisait les fous. Mais moi, je commençais

à ressentir les effets de l'âge dans mes vieux os. Je n'avais plus qu'une envie, c'était que tout ce monde s'en aille pour que je puisse monter dans ma cage de la Chambre Rouge, enfouir mon bec sous mon aile et dormir tranquille.

Or j'ai vu tous mes espoirs s'envoler quand les lampes se sont soudain éteintes.

Comme ça. D'un seul coup.

Toutes les lampes du château.

– Oh! s'est exclamée Menthalo. Encore!

Oui, encore. Exactement comme quelques jours auparavant, nous avons été plongés dans l'obscurité totale.

Si opaque que les rayons de la pleine lune ne parvenaient pas à la transpercer. Comme s'il y avait une éclipse.

Je ne suis pas sûr de trouver les mots pour décrire la panique qui a suivi.

Déjà la dernière fois, alors qu'il n'y avait que la famille et le personnel, la situation avait été critique. Mais je vous laisse imaginer le vacarme, le tumulte et la débandade qui ont envahi ce château rempli d'étrangers. Valvigne hurlait:

— Pas de panique, les gars! Pas de panique!

Mais il avait beau s'époumoner, le stade de la panique était déjà dépassé.

Malgré mon extraordinaire vision de nuit, j'avais du mal à distinguer ce qui se passait. La première chose que j'ai comprise, c'est que je ne serais pas en sécurité si je restais au sol. Je me suis donc élevé jusqu'au plafond pour éviter d'être piétiné. De là, j'ai pu observer le chaos.

Un tonneau rempli de grenouilles et de mandarines s'est renversé sous mes yeux. Le résultat n'était pas beau à voir. « Demain, quelqu'un va devoir faire le ménage, ai-je pensé, mais, ouf! ce ne sera pas moi. »

Et il y a eu pire.

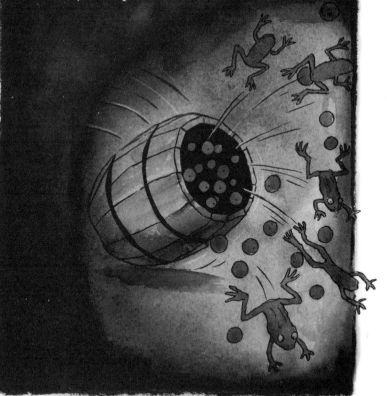

Je me dis qu'après leur première expérience, les d'Autrepart auraient dû ranger toutes les vieilles épées et les vieilles lances qui étaient exposées. Mais il faut reconnaître qu'ils ne pouvaient pas prévoir que leurs invités se mettraient à courir au hasard dans l'obscurité complète, et que le sol couvert de mandarines serait si glissant. Sans compter toutes ces grenouilles...

Oh là là! Rien que d'y penser, j'en suis malade. Quel bazar!

Les gens hurlaient comme des sauvages. Valvigne essayait de rétablir l'ordre sans y parvenir.

— Où sont passées les bougies? criait Solstice.

Mais j'étais le seul à l'entendre.

– Au secours! braillait quelqu'un. Ça, c'est mon pied!

– Je m'en fiche! glapissait un autre. Ça, c'est mon... aaaargh!

Nous ne saurons jamais quelle partie du corps de ce malheureux avait été écrabouillée, mais ça n'a plus d'importance. L'horrible cri que j'ai entendu ensuite annonçait quelque chose de bien plus grave.

Je suppose que vous connaissez l'expression: «un cri à glacer le sang»? Un cri qui refroidit le sang au point qu'il a du mal à circuler dans les veines? Oui? Eh bien,

c'était l'un de ces cris, et même légèrement plus affreux.

– Quoi? a-t-on entendu. Qu'est-ce que c'est que ça? Non! Noooooooon!

Un autre cri. Aussi épouvantable que le premier. Et puis un autre.

C'était terrible.

Mais je n'ai pas encore raconté le plus épouvantable! Le plus terrifiant! Le plus diabolique!

Des évènements allaient nous tomber dessus les jours suivants, aussi brutalement que la dent d'un vampire se plante dans la tendre chair d'une nuque.

Treize

Le cimetière
d'Autrepart se trouve
sur le flanc de la colline.
Tous les nobles ancêtres
de la famille y sont enterrés
dans des tombes
magnifiquement décorées.
Edgar aime s'y retirer
pour bouder, parce qu'il
y trouve un peu de paix
et de tranquillité.

Les corbeaux sont des oiseaux courageux. Il est difficile de nous effrayer. Il en faut beaucoup pour nous impressionner. Et pourtant, ce soir-là, quand des hurlements ont retenti, dominant le brouhaha provoqué par la coupure de courant, j'ai eu un tout petit peu peur.

Pour ma défense, je dois dire qu'il était tard, que j'étais fatigué et que j'avais vécu assez de choses désagréables pour une même soirée d'Halloween. Les triplés Toupet, par exemple. Déjà avant les hurlements, j'avais entendu un membre de l'affreux trio parler aux deux autres du trésor perdu d'Autrepart, et j'avais été obligé de le faire taire à coups de bec dans le derrière.

Et puis la lumière est revenue, comme par magie. Certainement pas grâce aux dons de bricoleur de Valvigne!

— Il va vraiment falloir réparer ça, a lancé Menthalo à son époux avec un regard furieux.

— Vous croyez? a marmonné ironiquement Hellébore.

Le spectacle était horrible. Presque tous les invités avaient disparu après s'être battus et débattus dans le noir pour trouver la porte. Ils avaient fui sans même emporter leurs manteaux.

Ils laissaient derrière eux une scène de désolation. Ne restaient que les blessés. Certains étaient blessés physiquement: chevilles foulées (celle d'Hellébore, par exemple), lèvres fendues, bosses sur la tête, légères commotions cérébrales, un trombone enroulé autour d'un cou, un accident de tuba... Bref, ce genre de choses.

D'autres étaient traumatisés psychiquement: de nombreux invités s'étaient écroulés, complètement sonnés, sur les marches de l'escalier ou près des portes. Ils marmonnaient des paroles confuses en se balançant doucement d'avant en arrière, la tête entre les mains.

— Oooh! Noon! gémissait l'un.

– Noon! Pas ça! geignait l'autre.

– Oh! Des grenouilles! Des grenouilles! pleurnichait un troisième.

Enfin, vous voyez le tableau.

Valvigne a très mal pris la remarque de sa femme.

– Et pourquoi ce serait de ma faute si la lumière ne fonctionne pas dans cette maison? s'est-il emporté.

– Laissez-moi réfléchir, a répondu Menthalo d'un ton sarcastique. Peut-être parce que votre famille vit ici depuis trois cents ans, que vous êtes Lord d'Autrepart depuis trente ans, que vous répétez sans arrêt que vous êtes notre seigneur et maître. Vous prétendez assumer toutes les responsabilités. Cela n'inclut donc pas celle de la lumière?

Valvigne a tourné les talons, très vexé.

Menthalo a pris le commandement des opérations. Juchée sur l'escalier pour mieux se faire entendre, elle a hurlé ses ordres:

– S'il vous plaît! Tous ceux qui ne portent pas le nom de d'Autrepart doivent quitter les lieux immédiatement. Tout le monde, sauf les domestiques! Eh! Pas vous, Tambouille! Je m'explique: je veux que tous les invités quittent cette maison sur-le-champ! Vous m'entendez? Ce château est une zone sinistrée et nous devons par conséquent nous montrer extrêmement prudents, au risque d'une nouvelle catastrophe!

Ce discours a convaincu tout le monde, jusqu'aux blessés les plus graves. Bientôt, nous nous sommes retrouvés entre nous: Menthalo, Solstice, Hellébore et moi-même.

– Nous ne pouvons pas commencer le nettoyage maintenant, a décrété la commandante en chef. Il est temps d'aller se coucher. Nous nous y mettrons demain matin à la première heure. Enfin… peut-être à la deuxième. J'ai mal à la tête.

– Et moi, j'ai mal partout, a déclaré Hellébore. Surtout à la cheville. Et j'ai faim.

– Tu as toujours faim, a dit Solstice. Toujours.

– Non, pas toujours ! a protesté son frère. Et, même quand j'ai faim, je n'ai pas toujours aussi faim que maintenant. Là, j'ai une sacrée fringale. Un appétit de loup. En fait, je meurs de faim.

– Oh, assez ! s'est énervée leur mère. Va demander à Tambouille qu'elle te donne quelque chose à manger. Et ensuite, hop, au lit tous les deux. Il est plus de minuit. Le bal est fini. Halloween aussi.

Menthalo avait raison.

Halloween était fini. Mais ce n'est pas pour autant que nous en avions fini avec l'horreur.

L'horreur ne faisait que commencer.

Et je ne parle pas ici de l'arrivée soudaine d'un singe malodorant.

Quatorze

Quand Solstice
était petite, il y a eu
une tempête de neige
qui a duré six jours.
Les quatre étages inférieurs
du château étaient enfouis sous
la neige. Elle se souvient d'être
allée en luge jusqu'au lac
d'Autrepart entièrement gelé.
Elle était partie de
la fenêtre de la Longue
Galerie.

Pendant les deux premiers jours qui ont suivi l'« Incident », comme on disait désormais au château, il ne s'est pas passé grand-chose. Enfin... rien d'horrible.

Il y a eu le nettoyage, bien sûr, mais je ne vais pas vous ennuyer avec les détails. Ont été impliqués un tas de serviteurs, une montagne de seaux d'eau chaude, de brosses, de balais à franges et de balais tout court, de sacs-poubelles qu'on a remplis de choses dégoûtantes. Et il a fallu remplacer une douzaine de vitres. Je n'en dirai pas plus.

Je vous ferai juste un petit aveu : je me suis régalé avec les déchets qui jonchaient le sol. La recette était délicieuse (une mixture visqueuse à base de citrouilles, de fruits et de grenouilles). Que demander de plus ?

Les serviteurs étaient chargés de la plus grande partie de ce travail désagréable, et nous les avons laissés se débrouiller. C'est peut-être pour cela que nous n'avons pas remarqué les deux premières disparitions.

Nous avions déjà l'esprit bien occupé.

Par nos invités, pour commencer.

Valvigne s'est souvenu qu'il aimait bien son frère, et a prié Silas de rester pour rattraper le temps perdu. Il a étendu l'invitation aux autres membres du groupe. Tout le monde, y compris Menthalo, a très bien saisi pourquoi. Quand il ne parlait pas du bon vieux temps avec son frère, Valvigne tournait autour de Samantha.

La pauvre fille paraissait très perturbée par son admirateur, qu'elle essayait de semer par tous les moyens. Finalement, Menthalo a perdu patience et a ordonné à son mari d'arrêter de se ridiculiser.

– Que... quoi? Que voulez-vous dire? a-t-il bafouillé. Je... je ne sais pas de quoi vous parlez...

Mais il devait quand même savoir, parce qu'à partir de ce moment-là, il est devenu plus discret. Je l'ai quand même vu lancer des œillades à Samantha par-dessus la soupière. Nous, les corbeaux, nous voyons tout.

Kark !

Je me trompe peut-être... Nous, les corbeaux, nous ne voyons peut-être pas tout. Car, si je voyais tout, j'aurais remarqué certaines choses dès le début...

Par exemple, que les serviteurs disparaissaient à une allure inquiétante.

Selon Menthalo, c'était à cause des travaux de nettoyage après l'«Incident».

– Après tout, a-t-elle dit, ce n'est pas très agréable. Tous ces... morceaux à ramasser, et à mettre dans des sacs... Je vais appeler l'agence demain matin et demander d'autres serviteurs... un peu moins chochottes.

La nuit qui a suivi le bal, j'ai fait mon tour habituel dans le couloir des chambres des enfants.

Tous les soirs, je m'assure qu'ils sont sains et

saufs. Je le fais depuis qu'ils sont petits, comme pour tous les enfants d'Autrepart qui ont grandi au château.

Quand je suis passé devant la chambre de Solstice, je n'ai rien constaté d'anormal. Aucun bruit, à part un doux ronflement.

Mais chez Hellébore... Bizarre, bizarre...

Ainsi que je vous l'ai dit un nombre incalculable de fois, nous autres, les corbeaux, nous avons une ouïe très fine. J'ai donc très distinctement entendu le garçon crier ces mots, dans son sommeil:

– De la cervelle fraîche!

C'est tout. Il n'a rien dit d'autre. Je le répète: il parlait dans son sommeil. Mais, tout de même, c'était étrange.

«De la cervelle fraîche... hum... Il veut de la cervelle fraîche, comme les zombies...?» ai-je pensé.

Le lendemain, un grand, un terrible cri a retenti à l'heure du petit déjeuner. Il provenait du jardin. Tout le monde s'est précipité dehors.

Tout le monde, sauf moi, parce que j'en ai profité pour piquer quelques morceaux de bacon dans les assiettes. Ensuite, j'ai décollé.

Voici ce que nous avons trouvé :

Une jeune fille de cuisine appelée Dan et un âne, hurlant au beau milieu du potager. Je veux dire que c'est Dan qui hurlait. Ce n'était pas l'âne, car il était mort. Dan... « Bizarre, ce prénom, pour une fille », ai-je pensé. Mais, comme elle aussi paraissait un peu bizarre, il lui allait bien.

Bon. L'animal était bien mort. En y regardant de plus près, nous avons constaté qu'il avait été vidé. De son sang. Complètement vidé, jusqu'à la dernière goutte.

– Qui a bien pu faire ça ? s'est interrogée Solstice.

– Que quelqu'un donne un verre de cognac à cette fille ! a ordonné Valvigne, d'un ton très autoritaire.

Je crois qu'il avait envie de jouer les chefs devant Samantha, et pourtant la musicienne n'était pas là.

Nous avons contemplé l'âne pendant un moment, mais pas trop longtemps. Très franchement, nous avions vu pire. Même Hellébore, au cours de ses dix petites années de vie au château, avait subi des choses plus perturbantes. Par exemple, cette histoire de crocs et de monstre des caves[1].

Alors que c'est un enfant horriblement timide, et qu'il a toujours peur de tout, il paraissait étrangement calme, debout près de l'âne mort et vidé de son sang.

– Il reste quelque chose à manger, Mère? a-t-il demandé. Je meurs de faim.

– Tout va bien, mon chéri? s'est inquiétée Menthalo. Tu as l'air encore plus affamé que d'habitude.

---

1. Voir *Disputes et disparitions*, « Edgar, sacré lascar » n°1.

– Oh, il a toujours faim, est intervenue Solstice. Vous le savez bien.

– C'est vrai, a confirmé sa mère, mais tu ne trouves pas qu'il a maigri? Et qu'il a l'air un peu patraque? Qu'en pensez-vous, Valvigne?

Mais Valvigne ne l'écoutait pas. Il marmonnait quelque chose de confus à propos de sa dernière invention qu'il allait tester dans le lac l'après-midi même: des bottes imperméables qui, affirmait-il, permettraient de marcher sur l'eau.

Plus tard ce jour-là, les Mortelles Coccinelles, lassées du danger et de la folie qui avaient envahi le château d'Autrepart, ont décidé de nous quitter. Tout le groupe sauf Silas, qui préférait rejoindre ses compagnons deux semaines plus tard.

Si vous aviez vu la tête de chien battu de Valvigne quand Samantha et ses compagnons ont dévalé l'allée au pas de course! D'évidence, ils n'avaient pas envie de passer une heure de plus au château.

Est alors arrivée la dernière surprise du jour. Une citrouille a soudain déboulé dans la Longue Galerie et s'est mise à tournoyer et rebondir sous nos yeux ébahis. Puis, brusque- ment, le haut de la citrouille a sauté, et qui a-t-on vu en sortir, tout étourdi, tout malheureux? Pote! Sans doute était-il enfermé là- dedans depuis le début de la fête. Il sentait incroya- blement mauvais, même pour un être malodorant comme lui.

Hellébore a soupiré.

– Tu connais les règles, Pote. Viens prendre un bain. Personne n'aime les singes qui collent.

Nous avions eu notre dose d'excitation pour la journée, mais le lendemain nous avons vécu des choses encore plus excitantes. Je dis « excitantes », mais en réalité, ce que je veux dire, c'est : absolument épouvantables. Terrifiantes.

Ah, on peut dire que la vie est belle, au château d'Autrepart !

Quinze

Quand on découvre certaines statues du château d'Autrepart, on se dit qu'il faut le voir pour le croire. Et pour quelques-unes on n'arrive pas à y croire, même quand on les a vues. C'est le cas de la statue de l'hippopotame écrasé par une tarte au citron meringuée.

Quel cirque!

La lumière n'arrêtait pas de s'éteindre et de se rallumer sans raison apparente. C'était ennuyeux, mais, au moins, les gens avaient pris l'habitude de toujours avoir sur eux une boîte d'allumettes et une bougie.

Ce qui était encore plus ennuyeux, c'était le nombre croissant de cadavres.

À la tombée de la nuit, Flinch s'est occupé des manteaux qui avaient été abandonnés au vestiaire le soir du bal. Tout en faisant le tri, il grommelait en se plaignant du manque de placards dans un château aussi gigantesque. Soudain, il s'est arrêté net.

– Oooh! a-t-il lâché.

Je ne l'avais jamais entendu exprimer ses sentiments si clairement. Mais ce n'était pas un « Oooh! » très gai, non. C'était un « Oooh! » qui n'annonçait rien de bon. Oh non!

Solstice et moi passions justement par là. Elle était en train de me parler de ses projets pour la prochaine fête d'Halloween, des projets déjà bien avancés.

Vite, Flinch l'a avertie :

– Ne regardez pas !

Mais Solstice ne l'a pas écouté. Elle a regardé.

– Sursaut ! a-t-elle dit.

Derrière les manteaux et les capes, Flinch avait découvert le corps d'une fille de cuisine.

J'ai reconnu la pauvre petite : c'était la fille bizarre qui portait le prénom bizarre de Dan. Elle était tout à fait morte.

Solstice a remarqué un détail sur le corps qui gisait devant nous.

Deux minuscules points dans le cou, parfaitement circulaires, avec du sang séché autour.

– Re-sursaut ! a crié ma petite maîtresse en portant la main à son propre cou. Comment est-ce possible ?

– Mademoiselle Solstice, que se passe-t-il ? s'est inquiété Flinch.

Mais elle ne lui a pas répondu.

— Sursaut! s'est-elle écriée pour la troisième fois. Edgar! Va vite prévenir Père et Mère. C'est urgent! Il y a une créature parmi nous, une créature qui porte le nom terrible de vampire! Un vampire sévit au château d'Autrepart.

Va, Edgar! Vole! Vole!

Ce n'était pas la peine de me le dire deux fois!

Valvigne, lui, a eu plus de mal à comprendre.

Je lui ai donné tellement de coups de bec sur la tête qu'il s'est mis à m'insulter, sans pour autant quitter le fauteuil où il était assis, en pleine conversation avec Silas.

— Je vais y arriver, j'en suis sûr! affirmait-il à son frère. Je sais que les bottes sont assez étanches. C'est juste que Flinch est trop lourd. Je vais refaire un essai en attachant deux canards à chaque botte. Ça devrait marcher...

J'ai renoncé provisoirement et je me suis lancé à la recherche de Menthalo. Elle a réagi plus vite. Je lui ai piaillé au nez comme un perroquet dément, et elle m'a suivi.

Chemin faisant, je suis tombé sur Hellébore et Pote dans un couloir. J'en ai profité pour administrer quelques bons coups de bec à Pote, et il a fait un tel cirque que tout le monde, y compris Valvigne et Silas, s'est mis à me courir après. J'ai donc pu les conduire jusqu'au corps de la pauvre Dan.

Silas a émis un long sifflement.

Valvigne a enfin compris.

— Des vampires! s'est-il écrié. Il y a des vampires au château!

— Vraiment! s'est énervée Menthalo. Comme si nous n'avions pas déjà assez d'ennuis! Les lampes qui ne marchent pas, des serviteurs louches, et maintenant, ça!

Elle est partie téléphoner à l'agence de placement pour demander une nouvelle fille de cuisine. Puis elle a appelé Quatre Planches et Fils, pour commander un nouveau cercueil. L'entreprise de pompes funèbres Quatre Planches et Fils existe depuis que les d'Autrepart sont propriétaires du château. Ces derniers sont, de loin, leurs meilleurs clients.

— Je préfère ne pas penser à la facture de téléphone de ce mois! s'est lamentée Lady d'Autrepart.

Solstice et moi contemplions le lugubre spectacle.

— La pauvre! a compati Solstice. C'est vraiment triste.

— **Aòk !** ai-je répondu, pour manifester mon accord.

J'avais prévu que nous aurions des ennuis. Je fréquentais le château depuis beaucoup trop longtemps pour ne pas sentir la catastrophe arriver de loin. Et voilà! Elle était là. Et il ne s'agissait pas seulement de pannes de courant.

La lumière qui s'éteignait tout le temps parce que le compteur électrique n'était pas assez puissant... c'était assez désagréable. Mais les vampires, c'était autre chose!

Ark !

Que peut faire un pauvre corbeau contre ça? Rien.

Il panique. Voilà. Il panique.

C'est donc ce que j'ai fait, jusqu'à l'heure du coucher. Fatigué et ronchon, je me suis finalement glissé dans la Chambre Rouge pour dormir et oublier.

Seize

Chaque année,
à Noël, le vieux
M. Quatre Planches,
propriétaire des pompes
funèbres Quatre Planches et
Fils, envoie une carte
à Valvigne et Menthalo,
pour les remercier
des nombreuses
commandes de
l'année écoulée.

— **Q**ue savons-nous sur les vampires? a interrogé Valvigne.

Il avait convoqué une réunion, et cette fois il ne s'agissait pas d'une Réunion Familiale d'Urgence, mais d'un rendez-vous bien plus sérieux qu'il avait appelé « Conseil de Guerre ». Il avait lieu dans le Salon Noir, une grande salle au plafond bas, située dans l'Aile Nord du château.

Au cours des siècles, cette pièce avait été le théâtre de quelques évènements notables. C'était de là qu'avaient été dirigées les opérations du Siège d'Autrepart (nommé Siège de Destrange, à l'époque), au cours duquel le dernier Lord Destrange avait tenté, en vain, de repousser les assauts des ancêtres de Valvigne.

Le Salon Noir est appelé ainsi parce que les murs sont recouverts d'un papier peint noir, que le sol est noir, que les chaises sont noires... enfin, vous voyez le tableau. Même avec un feu crépitant dans la cheminée, ce n'est pas la pièce la plus douillette

du château. Mais Valvigne l'avait choisie parce que c'est l'endroit idéal pour discuter de choses graves.

– Il est clair, a-t-il poursuivi, que nous avons au moins un vampire au château, et peut-être même plusieurs.

– D'accord, a rétorqué Menthalo, mais comment sont-ils arrivés ici ? Il me semble que les vampires ne peuvent pénétrer dans une maison que quand ils y sont invités.

— Ils ont dû s'introduire au château pendant le bal, a suggéré Solstice. Il y avait plein de vampires chez nous, ce soir-là.

— Mais ce n'étaient que des gens déguisés en vampires, a objecté Lady d'Autrepart.

— Et s'il y avait de vrais vampires parmi eux? a supposé sa fille.

— Des vampires déguisés en vampires? a réfléchi Valvigne. Quelle idée astucieuse! Dans ce cas, nous savons pourquoi nous ne les avons pas démasqués!

— C'est vrai! a renchéri son épouse. Autant chercher une aiguille dans une botte de foin!

— Non, a rectifié Solstice. Autant chercher du foin dans une botte de foin!

Son père, qui se tenait près du feu, a posé une main sur le

manteau de la cheminée, dans une attitude qu'il jugeait à la fois noble et éloquente.

— Hum, a-t-il fait. Quelles sages paroles, ma chère fille. Vraiment, de sages paroles. Il semble que nous ayons invité nous-mêmes les ennuis à entrer dans notre demeure. La question est maintenant celle-ci : que faire ?

— Et si on étudiait la liste des invités en essayant de débusquer les vampires ? a proposé Solstice.

— Non, a répondu sa mère. Premièrement, il n'y a pas de liste. Le Grand Bal d'Halloween est ouvert à tout le monde, comme tu le sais. Et deuxièmement, peu importe quel est le nom de ces créatures. Ce qui compte, c'est qu'elles se cachent quelque part dans le château, et que nous devons nous en débarrasser.

— Vous voulez dire les t... t... tuer ? a bafouillé Hellébore.

— Exactement ! s'est écrié Valvigne. C'est exactement ce que veut dire ta mère !

— Sursaut ! s'est exclamée Solstice.

– Bien! a poursuivi son père. Je répète ma question: que savons-nous des vampires? Je veux que vous preniez chacun une des feuilles posées sur la table, et un stylo. Vous avez cinq minutes pour établir la liste de ce que vous connaissez sur ce sujet.

– Oh, a gémi Hellébore, ça ressemble à un devoir!

– Tais-toi, mon garçon, a rugi son père, sinon, je vais revenir sur ma décision de ne pas engager de précepteur!

Il n'en a pas fallu plus pour réduire le garçon au silence. Comme tout le monde, il a pris une feuille de papier et a réfléchi à la question.

J'ai jeté un coup d'œil sur les feuilles.

Menthalo avait écrit:

Penser à demander la recette du cake au citron à Lavande.

– **Ark** ! me suis-je écrié.

J'aime le cake au citron. Mais pour livrer bataille contre les vampires la pâtisserie ne sert pas à grand-chose.

J'ai donc sautillé jusqu'à la feuille d'Hellébore. Voici ce que le garçon avait écrit :

De la cervelle fraîche.

Puis il s'est mis à dessiner un saladier rempli de spaghettis. C'était intéressant, mais pas très clair.

Silas n'écrivait rien du tout. Il se contentait de regarder par la fenêtre, l'air renfrogné, en pinçant une corde de sa guitare de temps à autre. C'était très énervant.

Je suis alors allé m'asseoir sur la tête de Solstice.

– Oh, Edgar, a-t-elle soupiré. Va-t'en ! Je n'arrive pas à me concentrer.

Mais je n'ai pas bougé d'une griffe, parce que j'avais envie de savoir ce qu'elle avait à dire. Par bonheur, elle avait l'air de connaître un peu le sujet et faisait courir son stylo sur sa feuille.

Voici ce qu'elle a écrit :

Les vampires font peur.

Ils ont des dents. Et même des crocs.

Ils les utilisent pour mordre les gens et ensuite

ils leur sucent le sang.

Je le sais, ça m'est déjà arrivé. C'était affreux.

Pourtant, je dois avouer que j'aime bien les beaux vampires.

Les vampires sont des morts qui refusent de rester dans leurs tombes

et en sortent sans arrêt pour embêter les vivants.

Ils sont obligés de dormir dans leurs cercueils pendant la journée.

Ils n'aiment pas les croix ni les autres objets sacrés.

Ils ne peuvent pas sortir pendant la journée parce que la lumière les tue.

On peut aussi les tuer en leur enfonçant un pieu en bois dans le cœur.

Solstice avait fait une description complète des morts vivants.

– C'est terminé! a déclaré Valvigne en consultant sa montre de gousset. Rendez vos feuilles! Edgar, veux-tu avoir la gentillesse de les ramasser?

J'ai fait ce qu'il m'a demandé, puis j'ai déposé la pile devant lui. Il a passé les copies en revue. C'était désolant. Pas un seul élève n'avait écrit quoi que ce soit d'utile. Sauf Solstice, dont il a passé un temps fou à lire l'exposé, en remuant les lèvres. Il a fini par en venir à bout. Il a alors repris la pose du chef, une main sur la cheminée, et fait la déclaration suivante:

– Vous, ma famille! Mes amis! Mes fidèles serviteurs! Écoutez-moi! Afin d'éradiquer le péril qui rôde en notre demeure, nous devons tout d'abord trouver le vampire, ou les vampires, et, pour cela, le plus efficace serait de découvrir les cercueils dans lesquels ils se reposent pendant la journée. Ils les ont sans doute sournoisement cachés quelque part, soit à l'intérieur du château, soit sur ses terres!

– Sursaut! a dit Solstice.

– Oui, a poursuivi son père, nous avons affaire à des vampires très sournois! Je vous propose donc de repartir en chasse, mais cette fois, non pas à la citrouille, mais aux vampires. Ce sera la première Grande Chasse aux Vampires de l'histoire d'Autrepart. Et, à l'issue de cette chasse, nous fêterons notre victoire!

– On commence quand? a interrogé Solstice.

– Il n'y a pas de temps à perdre! Nous commençons tout de suite! Immédiatement! Parce que, tant qu'il fait encore un peu jour, les vampires sont obligés de rester dans leurs cercueils. Que le Ciel nous vienne en aide si nous devons subir une nouvelle nuit avec ces créatures parmi nous!

– **Ark !** ai-je crié. **Ark ! Ark !**

L'entreprise était dangereuse, mais c'était exactement ce qu'il fallait faire!

Comme c'était excitant!

Comme c'était héroïque!

Et, nom d'une plume, comme j'avais la trouille!

Dix-sept

À l'époque où
elle était une jeune sorcière,
Menthalo a fabriqué une potion
extraordinaire. Non seulement
cette mixture était un philtre
d'amour, mais elle permettait
aussi de transformer
les pigeons en champignons,
et de faire briller
l'argenterie.

Valvigne a accordé vingt minutes à ses troupes pour préparer leur équipement de Chasse aux Vampires.

Comme il fallait s'y attendre, le bataillon qui s'est réuni vingt minutes plus tard dans le Petit Vestibule était complètement ridicule.

Croatbic !

Décidément, ces gens n'ont pas deux sous de bon sens. C'est effrayant! Ils étaient armés de cannes à pêche, de raquettes de tennis et de crosses de hockey. Pas l'ombre d'une arme tranchante! Pour se protéger, ils portaient des bonnets de laine, des masques de ski et des bottes de caoutchouc. À les voir, on avait l'impression qu'il y avait eu une explosion dans un magasin de sport. Même Solstice, pourtant si intelligente, semblait avoir perdu le sens des réalités. Elle n'avait rien apporté, à part une lampe de poche.

Menthalo a sou-
dain déboulé, Tambouille sur les
talons. La cuisinière en chef transportait un grand panier d'osier. Lady
d'Autrepart en a sorti une herbe aromatique, puis
une autre.

— Je suis sûre que c'est la coriandre, a-t-elle
murmuré, avant de secouer la tête. Non, non, c'est
l'origan. Oui, j'en suis sûre. Ou alors la ciboulette.

— Mère, qu'est-ce que vous faites ? s'est éton-
née Solstice.

— Les oignons nouveaux... Non. Si. Enfin,
peut-être. Peut-être que quelqu'un pourrait
emporter un oignon nouveau, au cas où.

— Au cas où quoi ? a insisté Solstice. Au cas où
il faudrait se dépêcher de faire une soupe ?

— Non ! s'est écriée Menthalo. Au cas où nous
rencontrerions un vampire ! Les vampires n'aiment
pas les oignons nouveaux. À moins que ce ne
soient les betteraves ?

— Nous n'avons pas de temps à
perdre avec ça ! a aboyé son époux.

Il ne nous reste plus que deux heures avant la tombée de la nuit. Nous partons immédiatement!

– Très bien, s'est empressée d'acquiescer Lady d'Autrepart. Mais il faut que chacun prenne quelque chose dans le panier. Je ne sais plus quel est le légume qu'ils détestent. Il va donc falloir en mettre le plus possible dans nos poches.

Valvigne a poussé un gros soupir.

– Très bien! Mais faites vite. La chasse a déjà commencé!

Le bataillon s'est donc mis en marche par groupes de deux ou trois. Solstice et Hellébore se sont dirigés vers le premier étage. Deux carottes sortaient de la poche du garçon. Sa sœur brandissait sa torche dans une main et un panais dans l'autre.

Pote, équipé lui-même d'un poireau qui dépassait de son gilet, poussait des cris stridents de singe idiot.

En les voyant s'éloigner ainsi, j'ai croassé à pleins poumons, en regrettant amèrement de ne pas parler le langage des humains:

– **Ari ! Ari !**

Tout le monde sait pourtant qu'on repousse les vampires avec de l'ari! Non, de l'ail! C'est ce que j'essayais de leur dire:

– **Ari !**

Autrement dit: de l'ail!

Je me suis dépêché de rattraper Menthalo, tout en me demandant comment l'aider à se souvenir que la bonne plante, c'était l'ail.

Ah, mais oui! Il y en avait peut-être en cuisine! Il suffisait d'en attraper une tête et de l'agiter devant elle!

J'ai foncé vers les cuisines à une vitesse supersonique, mais j'ai eu beau chercher et chercher, pas la moindre tête d'ail à l'horizon! Pas même une minuscule gousse d'ail. Pas même une odeur d'ail! Cela m'a paru curieux, car j'en avais vu la semaine précédente.

– **Croatbic !** ai-je fulminé, une
fois de plus.

Si je ne trouvais pas d'ail, tout ce que je pouvais faire, c'était essayer de dénicher Solstice et
Hellébore. Car c'étaient les deux enfants que je
voulais particulièrement protéger. Bon... j'étais
un peu moins attaché à Hellébore, à cause de son
satané singe... mais il fallait éviter à tout prix
qu'un vampire ne s'avise de croquer un petit morceau de Solstice.

Je tournais et virais comme un idiot sans
trouver personne quand j'ai failli percuter le dos
d'Hellébore.

Le gamin s'est retourné et, en me voyant,
il a ouvert la bouche pour parler.

– De la cervelle fraîche! a-t-il
articulé.

Et c'est là que j'ai vu ses
dents. Ses canines avaient
poussé! Elles étaient deve-
nues très longues, et toutes
pointues!

J'ai mis les gaz, et j'ai foncé comme une fusée jusqu'aux poutres du plafond pour me mettre hors d'atteinte.

La dernière chose que j'ai aperçue avant de m'enfuir, c'est une scène très inattendue : Hellébore poursuivait Pote dans le couloir, tous crocs dehors, et le singe galopait comme un dératé pour lui échapper.

– **Croatbic !**

Je n'en croyais pas mes yeux ! Une catastrophe absolument épouvantable était arrivée. Hellébore était devenu un vampire !

Dix-huit

Menthalo et Valvigne se sont rencontrés il y a de nombreuses années. Menthalo était tombée de son cheval lors d'une promenade. Valvigne, qui était à l'époque un jeune Lord, et un apprenti inventeur, l'a ramenée au château sur l'une de ses premières inventions, une bicyclette à trois roues qui fonctionnait à la bouse de vache.

Mon cerveau travaillait furieusement. J'essayais de comprendre ce que j'avais vu, mais c'était difficile. Très difficile.

Hellébore était un vampire. Et pourtant il se baladait dehors, à la lumière du jour, ce qui prouvait qu'il n'était pas un vampire. Et pourtant ça faisait un bon moment qu'il baragouinait des histoires de cervelle fraîche... Et pourtant, vingt minutes à peine avant que je le surprenne à essayer de sucer le sang de son singe chéri, il semblait parfaitement normal.

Peut-être avait-il été mordu par un vampire pendant le bal... Mais, dans ce cas, il avait mis du temps à se transformer... Peut-être que le vampire qui l'avait mordu n'avait bu qu'une toute petite gorgée de sang, ce qui expliquait pourquoi le gamin n'avait pas été réduit à l'état de cadavre desséché comme l'âne et Dan, la fille de cuisine.

Comment savoir ?

Il fallait que je prévienne les autres, et vite !

Le jour déclinait. Le temps nous était compté. Valvigne avait exigé que les chasseurs se retrouvent dans le Petit Vestibule au crépuscule, pour faire le point.

Les dernières lueurs du jour disparaissaient quand j'ai rejoint des troupes découragées. La famille d'Autrepart et le personnel étaient massés là, tripotant tristement un poireau ou une pomme de terre ou un autre légume.

Le cercueil restait introuvable. Tous étaient revenus bredouilles, sauf Hellébore, qui n'était pas revenu du tout.

Je suppose que vous avez déjà joué au jeu des mimes. Cela consiste à mimer un film, une situation, ou n'importe quoi d'autre. Vous agitez les bras, faites des grimaces, vous couchez par terre, pour aider les participants à trouver de quoi il s'agit.

Eh bien, imaginez comme il est difficile de jouer à ce jeu quand vous n'avez qu'un bec et deux ailes !

Je me suis lancé dans une danse endiablée devant Solstice, mais, au bout d'un moment, elle m'a chassé avec colère. Après, je me suis déhanché devant Menthalo, puis devant Valvigne, jusqu'à ce qu'ils se fâchent eux aussi.

Pourtant, j'ai fait mon possible, en battant des ailes, le bec ouvert, pour essayer de ressembler à une version vampirique d'Hellébore, mais, **croatbic!** ça n'a pas marché.

Personne n'a compris ce que je voulais dire. Et, quand Valvigne a décrété que la chasse était terminée, et qu'il n'y avait rien d'autre à faire que de dîner plus tôt que d'habitude et de se barricader dans les chambres, j'ai baissé les ailes. Et je me suis mis à bouder.

La famille s'est assise autour de la table pour dîner. C'est seulement là que quelqu'un a remarqué l'absence d'Hellébore : Grand-Mère Slivinkov. Dans un rare accès de lucidité, elle a marmonné :

– Hi ! Hi ! Hellébore qui rate un repas ? Je ne pensais pas vivre assez longtemps pour voir ça !

– C'est vrai! a renchéri Solstice, soudain soucieuse. Il faudrait peut-être partir à sa recherche.

« Autant se jeter dans la gueule du loup! » ai-je pensé. Mais mes réflexions ont été interrompues par l'irruption dans la salle à manger du jeune vampire, toujours à la poursuite de Pote.

Hellébore s'est arrêté net quand il s'est rendu compte que tous les yeux étaient braqués sur lui. Le singe en a profité pour chercher refuge sous une gigantesque coupe à fruits en forme de cygne. Les mandarines ont tremblé quand il s'est aplati comme une crêpe.

– Hellébore! Ça va? s'est inquiétée Menthalo.

Son fils allait ouvrir la bouche, mais il s'est ravisé et s'est contenté de sourire d'un air penaud, sans montrer ses dents.

– Alors? a insisté Valvigne en le dévisageant.

Mais le vampire s'est simplement assis à sa place habituelle, sans répondre. Apercevant une pile de pizzas sur la table, il a lâché un mot.

Ce mot était: «Oooooh». Vous noterez qu'on peut le prononcer sans montrer aucune dent.

Puis il a mis un petit pain devant ses lèvres pour les cacher, et a ajouté sans beaucoup articuler:

– J'aime la pizza.

Solstice a scruté le visage de son frère.

– Tu es horriblement pâle, a-t-elle constaté. Tu es sûr que tu te sens bien?

Hellébore a opiné du chef avec conviction, si violemment que j'ai eu peur que sa tête ne tombe. Au même instant, un trio de servantes a apporté le reste du repas: un saladier de laitue, un pichet de jus de tomate et, à ma grande surprise, un immense plateau de pain à l'ail fait maison. «Ah! me suis-je dit. Voilà pourquoi je n'ai pas trouvé l'ail!»

Tout s'est passé en même temps.

Menthalo a vu le pain à l'ail et s'est frappé le front.

– Mais bien sûr! C'est ça! C'est l'ail! Pas le persil! Pas le chou-fleur! L'ail!

À peu près à la même seconde, son fils a émis une sorte de miaulement et a quitté la table, tout tremblant. Il semblait avoir très peur.

Et Solstice, comprenant aussitôt, a attrapé deux longues baguettes de pain à l'ail, les a croisées et, armée de cette croix, a marché vers son frère. Le jeune vampire a hurlé comme un fou et s'est enfui en braillant:

– De la cervelle fraîche!

Un long silence a suivi.

C'est Valvigne qui l'a rompu pour dire à son épouse:

– Nous avons des enfants bien étranges, Menthalo. Hein? Qu'est-ce que vous en pensez?

Mais Lady d'Autrepart n'a pas eu le temps de répondre, car à cet instant la lumière s'est éteinte.

Une fois de plus!

Dix-neuf

Les cachots
du château d'Autrepart
sont des trous noirs et
profonds. Nul ne sait combien
de gens y ont été emprisonnés
au cours des ans. Ils ont laissé
des tas de graffiti sur les murs.
Certains d'entre eux sont
très étonnants. Par exemple :
« Je vous avais bien dit
que c'était du
pamplemousse. »

Nom d'une plume, quel choc!

Chacun a fouillé dans ses poches pour attraper des allumettes et, bientôt, la pièce a été faiblement éclairée par la lumière vacillante d'une douzaine de bougies.

– Oh, non! a gémi Menthalo. Qu'allons-nous faire, mon cher mari? Qu'allons-nous faire? Notre fils aîné est un vampire!

Valvigne, debout près de la table, a secoué la tête. Il était presque beau, comme ça, à la lueur des bougies. Enfin... plus beau que quand on le voyait distinctement.

– Nous devons poursuivre la Chasse au Vampire! a-t-il décidé. Peu importe qu'il fasse nuit. Peu importe que des vampires nous guettent peut-être au bout de chaque couloir! Nous devons continuer à chercher le cercueil avant qu'un autre de nos rejetons soit mordu!

– Pauvre Hellébore! s'est lamentée Solstice en reniflant à grand bruit. Mon pauvre frère! Qu'est-ce qu'il va devenir, maintenant qu'il est un vampire pour toujours?

Silas s'est levé et a suggéré:

— Peut-être que non.

— Que voulez-vous dire, mon oncle? Vous êtes bien mystérieux. Savez-vous quelque chose?

— Il est possible qu'Hellébore ne soit pas irrémédiablement atteint. Il était dehors il y a une heure, alors qu'il faisait encore jour, n'est-ce pas? Si nous supprimons le vampire qui l'a mordu avant que sa transformation soit complète, nous le sauverons peut-être!

— Sursaut! s'est exclamée Solstice. Dans ce cas, il n'y a pas une minute à perdre! Il faut immédiatement se mettre à la poursuite de la créature. Vous savez, moi aussi, j'ai failli être transformée en vampire!

Elle a alors touché les cicatrices sur son cou. Comment avait-elle survécu à ces morsures? Mystère et boule de gomme.

— Tu as raison! a approuvé son père. Et cette fois, je ne veux ni persil, ni clémentines, ni légumes, ni racines. Je veux de l'ail.

— Mais nous n'en avons plus, a fait remarquer une fille de cuisine. Nous avons tout mis dans le pain.

J'ai admiré la folle témérité de la jeune domestique. Même à la lueur des bougies, j'ai vu Valvigne lutter contre la colère. Sa moustache a tremblé et ses sourcils ont tressauté.

— Très bien, a-t-il décrété. Puisque c'est ainsi, chacun portera en permanence sur lui une tranche ou deux de pain à l'ail. Surtout, au cas où vous auriez une petite faim pendant les longues heures de chasse, cette nuit, ne succombez pas à la tentation de grignoter votre pain ! Votre vie en dépend !

— Sursaut ! a répété Solstice. Sauvés par du pain à l'ail !

Et c'était reparti pour la Grande Chasse au Vampire, plus dangereuse que la Grande Chasse Annuelle à la Citrouille, et plus excitante que le Grand Bal d'Halloween.

Une fois de plus, la famille au complet, assistée du personnel, s'est glissée prudemment hors de la salle à manger, munie de pain à l'ail pour se protéger. On avait aussi équipé un chasseur d'une clochette, un autre d'un klaxon, un troisième d'une grenade sonore pour sonner l'alarme.

– Quiconque trouvera le cercueil, ou le vampire lui-même, devra signaler sa découverte sur-le-champ! a décrété Valvigne. Rendez-vous sur zone à la première alerte!

– Et rappelez-vous, a complété Silas, que le vampire est certainement de sortie, puisqu'il fait maintenant nuit. Mais, si nous parvenons à trouver le cercueil, nous pourrons l'attendre sur place, et ensuite...

Il n'a pas continué sa phrase.

« C'est ça, me suis-je dit. Et quoi, ensuite? Qui sera assez courageux pour s'attaquer à un vampire? »

Enfin... nous n'en étions pas encore là. J'ai donc suivi Solstice et Valvigne, et nous nous sommes remis en chasse, prêts à débusquer l'horrible créature dans sa cachette.

La nuit a été longue, et pleine d'incidents.

Un hurlement soudain nous a écorché les oreilles. Aussitôt, nous nous sommes précipités dans la direction du cri. Pour découvrir une nouvelle victime! Vraiment, vraiment morte, cette fois. Le vampire ne s'était pas contenté de la grignoter.

— Ça y est, a déclaré Valvigne, le visage grave, le vampire a repris sa chasse!

Environ une heure plus tard, un nouveau hurlement nous est parvenu, puis un autre. Chaque fois, la victime gisait sur le sol, vidée de son sang.

Je me suis assis sur l'épaule de ma petite maîtresse pendant qu'elle examinait la dernière avec son père.

— Ouoh, a prononcé une voix derrière nous, le vampire a faim, ce soir!

— **Croatbic !**

Nous nous sommes tous retournés en même temps. L'air mauvais, Hellébore nous regardait en montrant ses crocs. Aussitôt, Solstice lui a glissé une tranche de pain à l'ail dans la bouche. Le jeune vampire s'est écroulé, toussant et crachant.

Nous avons filé à toutes jambes. Enfin... moi, j'ai filé à toutes ailes. En moins de temps qu'il n'en faut pour le dire, nous étions partis.

— Bon boulot, ma fille! a crié Valvigne dans un virage.

Nous nous sommes arrêtés pour reprendre notre souffle.

— Edgar, tu penses qu'on l'a semé? m'a demandé Solstice.

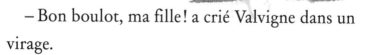 — **Caok !** ai-je répondu d'un ton rassurant.

— Père, a-t-elle repris avec un soupir, c'est ridicule. On a fouillé tout le château sans rien trouver.

Ce n'est pas la bonne méthode. Il faut utiliser notre cervelle.

« De la cervelle, me suis-je dit. De la cervelle fraîche ? »

– Tu as raison, a acquiescé Valvigne, mais comment faire ?

– Eh bien, a-t-elle répondu, j'ai réfléchi. Hellébore a sans doute été mordu par le vampire, d'accord ? Ou peut-être simplement mordillé. Le vampire n'a pas sucé complètement son sang, OK ?

– OK, a confirmé son père.

– J'étais avec lui pendant toute la soirée du bal. Nous l'avons passée sur les remparts, à bombarder les enfants de citrouilles visqueuses. Ensuite, on est descendus, et on a joué à « Une grenouille ou un fruit ». Et puis la lumière s'est éteinte et les gens ont paniqué. Mais, même à ce moment-là, il était à côté de moi, et je ne crois pas qu'on l'ait mordu.

– Que veux-tu dire, ma fille, toi qui es si intelligente ?

– Eh bien, s'il n'a pas été mordu la nuit du bal, c'est

qu'il a été mordu avant. Peut-être lors de la Grande Chasse Annuelle à la Citrouille. Il a disparu pendant longtemps. Et, quand on l'a retrouvé, il avait faim. Très faim.

— Comme tu dirais, ma chère fille : sursaut ! Évidemment ! Pendant la chasse à la citrouille ! Qui sait ce qu'a fait Hellébore avant qu'Edgar ne le sorte du labyrinthe ? Je me demande... Il y a une petite cabane au centre du labyrinthe... Je me demande si nous ne dénicherions pas notre ami le vampire là-dedans. Ou au moins son cercueil !

— **Ark-ark** *!* me suis-je écrié.

C'était vrai ! Quand j'avais trouvé Hellébore dans le labyrinthe, il se tenait tout près de la cabane. Le vampire pouvait-il habiter là ?

— Alerte générale ! a glapi Valvigne, en agitant frénétiquement sa clochette. Alerte ! Alerte ! Rassemblement ! Tout le monde au labyrinthe ! Au labyrinthe ! Sus au vampire !

— Père, a chuchoté Solstice d'une toute petite voix, il y a juste un léger problème.

— Quoi donc, ma chère fille ?

– On va se perdre dans le labyrinthe. Personne ne sait comment en sortir, et il n'existe pas de carte. On ne pourra jamais retrouver notre chemin.

– Ah-ha! s'est écrié Valvigne. Figure-toi que tu parles à la seule personne au monde qui sache parfaitement se repérer dans ce labyrinthe! Oui! Parce que, quand je n'étais qu'un petit Lord, j'ai passé des heures à l'explorer de long en large. Je connais ce labyrinthe comme la grenouille sa feuille de nénuphar. Et j'en suis fier!

Une heure plus tard, ils étaient perdus.

Vingt

Dans le sol
de la cuisine, il y a
une trappe qui conduit
à un toboggan descendant
jusqu'au lac.
Celui qui emprunte ce toboggan
est promis à une mort certaine.
Heureusement que la poignée
de la trappe a été cadenassée
il y a quelques années.
Toutefois, les serrures
commencent
à rouiller...

Ils se sont donc retrouvés à errer dans le laby-rinthe en pleine nuit, éclairés faiblement par quelques lanternes et quelques bouts de chan-delles. Valvigne, à la tête de ses troupes, s'enfon-çait de plus en plus profondément dans le dédale.

– Je suis sûr que c'était par là. Au bout, on tourne à gauche. Après, on compte trente pas, et on prend à droite.

Il s'est arrêté. Une fois de plus.

– Mais, Père, a objecté Solstice, comment pou-vez-vous reconnaître le chemin ? Je croyais que les haies bougeaient.

– Non ! Pas pour Lord d'Autrepart ! a affirmé Valvigne.

Mais moi, je n'en étais pas très sûr et je pense qu'il commençait à douter, lui aussi.

Je savais que le dessin du labyrinthe chan-geait tout le temps, parce que je volais au-dessus du cortège pour ouvrir la voie. Même si je ne voyais pas vraiment bouger les haies, je constatais que, chaque fois que je regardais derrière moi, le labyrinthe était différent.

Mais à la fin le château, ou plutôt les haies, ont décidé de coopérer. En effet, nous nous sommes soudain retrouvés au centre du labyrinthe : dans une clairière hexagonale au milieu de laquelle se dressait une petite cabane blanche, hexagonale elle aussi. En principe, cette cabane n'est pas utilisée, parce que personne n'atteint jamais cet endroit.

Un silence mortel est tombé sur la troupe des chasseurs de vampires.

Valvigne a fait un pas en avant, puis s'est retourné et a chuchoté par-dessus son épaule :

– Silas, tu es mon invité. Je te laisse donc l'honneur d'ouvrir la porte et d'entrer le premier.

Silas a avalé sa salive.

– Merci, a-t-il répondu, mais je ne voudrais pas te priver de ce privilège. C'est ta Chasse au Vampire, après tout.

– Non, non, s'est récrié Valvigne. J'insiste.

Par bonheur, Solstice a mis un terme à ces gamineries. Elle était plus courageuse que son père et son oncle réunis. Elle s'est avancée, a ouvert la porte de la cabane d'un coup de pied, style kung fu.

– Ya! a-t-elle hurlé, en entrant d'un bond et en brandissant deux baguettes de pain à l'ail devant elle.

Puis elle nous a crié:

– Entrez vite!

Valvigne, Flinch, Menthalo, Silas et moi-même nous sommes précipités à l'intérieur, poussés par le reste du commando qui s'entassait dans notre dos.

– Regardez! s'est-elle exclamée. Le cercueil!

Là, au beau milieu de la pièce, trônait un joli petit cercueil. Il était peint en blanc, avec des pieds en forme de griffe. C'était très mignon. Selon moi, c'était un objet de bonne facture.

Mais un détail plus important sautait aux yeux. Solstice a dit ce que nous pensions tous :

– Le couvercle est fermé !... Vous croyez qu'il faut l'ouvrir ?

– Oui, a répondu son père. C'est exactement ce qu'il faut faire. C'est sans danger ; nous savons que le vampire n'y est pas.

– Faites-le vous-même, dans ce cas ! a proposé Menthalo avec ironie.

– Oh, pour l'amour du ciel, ne recommencez pas ! s'est emportée Solstice.

Sur ce, elle a soulevé le couvercle, qui s'est ouvert sur... rien.

Valvigne avait raison : le cercueil était vide.

– Ouoh ! a dit une voix.

Nous nous sommes retournés. Hellébore était à l'extérieur, le nez collé à l'une des vitres de la cabane.

– Attrapez ce garçon! a ordonné Lord d'Autre-part. Formez un cercle de pain à l'ail autour de lui et amenez-le ici sur-le-champ.

Les chasseurs se sont précipités dehors pour exécuter les ordres. Ils ont encerclé Hellébore, qui hurlait et tapait des pieds comme un forcené.

Ensuite, tout doucement, ils l'ont conduit devant son père.

– Tu n'as vraiment pas été sage! l'a grondé Valvigne. C'est toi qui as sucé le sang des bonnes? C'est toi?

– Non, je n'ai pas pu, a-t-il répondu piteuse-ment. Je ne cours pas assez vite.

– Pauvre Hellébore! a soupiré sa sœur. Il ne fait même pas un bon vampire.

– Ce n'est pas sa faute, est intervenue Menthalo pour défendre son fils. Il n'a pas demandé à se transformer en vampire.

– On en reparlera plus tard, jeune homme, a déclaré Valvigne en levant un doigt menaçant.

Grand-Mère Slivinkov, que l'excitation de la chasse semblait avoir rajeunie de cinquante ans, a alors eu une idée. Une idée assez bonne, ma foi.

– Écoutez, mon cher Valvigne, a-t-elle dit. Vous avez vu quel effet produit le pain à l'ail sur Hellébore. Si nous remplissons ce cercueil avec tout le pain qui nous reste, le vampire n'aura plus d'endroit où se cacher.

– Sursaut! a crié Solstice. Quelle bonne idée! Et, regardez, il va bientôt faire jour. Quand le soleil se lèvera, si le vampire n'est pas dans son cercueil, il sera grillé! Et nous aurons sauvé Hellébore!

Ce plan était malgré tout super dangereux.

J'ai pensé que le mieux, pour moi, était d'observer son déroulement depuis un endroit sûr, et je me suis perché sur le toit de la cabane.

Le cercueil a été rempli de pain à l'ail, le couvercle a été refermé, et ensuite tout le bataillon des chasseurs s'est caché pour attendre l'arrivée du vampire.

L'attente n'a pas été longue.

Vingt-et-un

La montagne au pied de laquelle s'élève le château d'Autrepart est couverte d'une forêt sombre et effrayante. Personne n'ose s'y risquer, sauf Solstice, qui dit que la forêt est un endroit idéal pour composer des poèmes tristes.

Les petites plumes de ma queue tremblaient comme des feuilles.

Je ne savais pas si je serais capable de survivre à une peur pareille.

Après l'obscurité totale de la nuit, le ciel commençait à prendre une couleur plus claire. Je voyais trembler les haies encerclant la cabane, exactement comme mes plumes.

À l'intérieur des haies se tapissaient les habitants du château d'Autrepart qui attendaient le retour du vampire. Pour nous protéger, nous avions seulement quelques tranches de pain à l'ail. La plupart avaient été placées dans le cercueil.

J'en avais piqué un morceau à Flinch, en jugeant que j'en avais plus besoin que lui: si je me transformais en vampire, qui veillerait sur le château? De plus, imaginez un peu ce que j'aurais donné en corbeau vampire!

Croatbic !

Comme nous l'avions prévu, la créature n'a pas tardé à se diriger vers la cabane.

C'est là que nous avons eu la surprise de notre vie.

Qui avons-nous vu surgir au centre du labyrinthe ? Samantha !

Silas s'est levé, s'apprêtant à quitter le havre sûr de la haie.

— Saman..., a-t-il commencé à crier, mais Solstice lui a posé la main sur la bouche.

— Attendez ! a-t-elle chuchoté. Observez-la !

— Mais elle est en danger ! a chuchoté Silas à son tour.

— Je n'en suis pas sûre, a répondu Solstice. Regardez !

Nous avons tous suivi des yeux Samantha qui marchait droit vers la cabane. Elle a essuyé sa bouche avec le dos de sa main, et ensuite elle a ouvert la porte et est entrée.

Une seconde plus tard, on a entendu un affreux hurlement et elle est ressortie, en soufflant et en crachant.

Le vampire, c'était Samantha !

Valvigne a braillé un ordre. Ceux qui étaient encore munis de pain à l'ail ont sauté dans la clairière et l'ont agité devant la musicienne-vampire.

Silas paraissait bouleversé.

– Oh, Samantha, comment as-tu pu?

Mais la jeune femme restait silencieuse.

– Comment as-tu pu ignorer qu'elle était un vampire? a demandé Valvigne à Silas.

– Elle a rejoint notre groupe il y a quelques semaines à peine. Elle avait des horaires bizarres. J'y pense maintenant, elle n'était jamais libre pendant la journée... Je croyais qu'elle vivait la nuit, comme les rock stars.

– Ce n'est pas le moment de discuter de ça! est intervenue Solstice. Qu'est-ce qu'on fait? On ne va pas pouvoir la retenir éternellement avec du pain à l'ail!

– C'est vrai, ma fille, c'est vrai, mais le soleil va bientôt se lever, et alors... pfutt! Enfin, je l'espère.

– On l'espère tous, a-t-elle répondu. Mais le soleil n'est pas encore là, et j'ai peur qu'elle ne réussisse à briser nos défenses!

Rark!

En effet, Samantha se déchaînait en sautant comme une folle dans tous les sens, et semblait sur le point de se frayer un chemin à travers la barrière parfumée à l'ail.

C'était le moment d'agir!

J'étais resté trop longtemps assis sur mes plumes! Une fois de plus, c'était à moi de sauver le château d'Autrepart. Alors que je contemplais le ciel gris où pointait l'aube, un plan, minuscule, mais mortel, a germé dans mon cerveau.

Je suis un oiseau. Et, comme nous autres, les oiseaux, nous passons une bonne partie de notre temps dans les airs, nous savons certaines choses, dont celle-ci: plus vous êtes haut, plus vite arrive l'aube. Quand vous montez dans le ciel, vous voyez le soleil se lever plus tôt.

Je ne pouvais pas attraper Samantha dans mon bec pour l'emmener dans les airs, mais j'avais une autre solution.

J'ai disparu en un éclair!

– Edgar! a crié Solstice. Ne nous quitte pas!

Mais si! J'y étais obligé! Je suis retourné au château à la vitesse précise d'un million de kilomètres à l'heure.

J'ai volé tout droit jusqu'à l'armurerie, et j'ai immédiatement trouvé ce que j'étais venu chercher.

J'en aurais préféré un plus grand, mais je n'aurais jamais été capable de le porter. J'ai donc opté pour le plus pratique. Un bouclier d'argent, petit, rond et, ce qui était très important, brillant.

L'attrapant entre mes deux pattes, je l'ai transporté dehors et j'ai grimpé, grimpé le plus haut possible dans les cieux, aussi haut que je le pouvais... aussi vite que je le pouvais.

C'était difficile. Mes ailes me faisaient mal, et mes griffes aussi. Mon cœur semblait près d'exploser, mais j'ai tenu bon. Quand les rayons dorés de l'aube sont apparus à l'est, au-dessus des montagnes, j'ai senti le soleil me réchauffer les plumes.

J'ai incliné le bouclier dans toutes les directions pour essayer de capter ses rayons. Très loin, je distinguais le labyrinthe, et la cabane, et Samantha dans sa petite robe blanche.

Enfin, victoire!
J'ai réussi à projeter le
reflet du premier rayon
de soleil matinal en bas,
tout en bas, juste sur la
tête de Samantha!

De là-haut, je n'ai vu
qu'une grosse volute de fumée.

J'ai plongé avec le bouclier tout
droit vers le centre du labyrinthe.
Le temps d'atterrir, tout était fini.

Le bataillon de chasse faisait cercle
autour d'une paire de chaussures blanches à talons
hauts posées sur l'herbe, devant la cabane. Ces
escarpins étaient tout à fait normaux, sauf qu'il
en sortait de la fumée. Je les ai reconnus: c'étaient
ceux que portait Samantha.

– Edgar! m'a félicité Solstice. Tu es un génie.
Tu m'entends? Un génie!

J'étais tout à fait d'accord, et j'ai permis à
ma petite maîtresse de chatouiller les plumes de
mon cou.

J'avais sauvé la famille, mais une dernière surprise nous attendait.

Hellébore nous a rejoints. Il a regardé les chaussures, fasciné.

– Ouoh, a-t-il déclaré, j'ai vraiment faim.

Solstice a demandé d'une
voix qui déraillait un peu :

— Ce n'est pas… ce n'est pas de la cervelle fraîche que tu as envie de manger, hein ?

Hellébore n'a pas eu l'air de comprendre.

— Quoi ? Non. Mais je tuerais pour un morceau de votre pain à l'ail, là.

— Youpi ! a crié sa sœur. Nous avons sauvé Hellébore !

C'était vrai.

Hellébore d'Autrepart était de retour. Il aurait dévoré n'importe quoi, sauf de la cervelle fraîche !

Post-scriptum

Étrangement, personne n'a jamais compris pourquoi les lampes n'avaient pas arrêté de s'éteindre et de se rallumer pendant cette fête d'Halloween particulièrement ratée. Mais, un jour où je chassais dans les caves du château, à la recherche d'une bonne pourriture à manger, je suis tombé sur le compteur électrique. La petite porte de la boîte était ouverte. J'ai alors découvert qu'une famille de choucas des tours s'était confortablement installée parmi les fusibles et les fils.

Quand j'ai vu le vieux M. Choucas donner des coups de bec, tantôt sur un fusible, tantôt sur un fil, j'ai aussitôt ordonné à cet effronté de faire ses valises. Depuis, nous n'avons plus de problèmes d'éclairage.

Au château d'Autrepart, vit une famille des plus bizarres...

Tome 1

Tome 2

Tome 3

Tome 4